D0390254

LA VOIE ROYALE

Paru dans Le Livre de Poche :

LES CONQUÉRANTS

LA TENTATION DE L'OCCIDENT

ANDRÉ MALRAUX

La Voie royale

ROMAN

Préface, commentaires et notes de Christiane Moatti

GRASSET

ISBN : 978-2-253-01035-7 – 1re publication – LGF

PRÉFACE

La Voie royale, publié par Malraux avant la trentaine, est un inclassable récit-carrefour. Les rêves d'aventures et de voyages propres à l'enfance, la révolte et l'insoumission de l'adolescence, l'angoisse de la vieillesse qui vit, impuissante, l'échec de ses ambitions s'y expriment avec intensité. Après un premier roman, *Les Conquérants*, qualifié par l'auteur lui-même de « roman d'adolescent[1] », Malraux achève d'y mettre au point une écriture et un univers puissamment personnels où le dépaysement, une action trépidante et périlleuse se mêlent aux réflexions métaphysiques. Ce court récit, moins connu que *La Condition humaine* ou *L'Espoir*, contient en germes bon nombre d'idées-forces de l'œuvre, romans et essais inclus. Comme l'affirme l'auteur à propos de Dostoïevski, « un vrai roman n'a jamais qu'un vrai sujet : ce qui intéresse le plus profondément l'auteur, qu'il le sache ou non ». Ce livre, comme le précédent et le suivant, est « d'abord une accusation de la condition humaine ».

A première lecture, il s'impose pourtant comme un roman d'action au rythme rapide. L'intrigue, riche en péripéties, peut se résumer ainsi : le jeune Français

1. Postface des *Conquérants*.

Claude Vannec est parti au Cambodge à la recherche de trésors d'art khmer dans la région d'Angkor, qu'aucun archéologue officiel n'a encore osé explorer. Il croit pouvoir retrouver « la Voie royale, la route qui reliait Angkor et les lacs au bassin de la Ménam ». Il est convaincu que cette route est jalonnée de temples dont les ruines, enfouies sous l'exubérance de la forêt tropicale, n'ont certainement pas toutes été localisées, dégagées, ni leurs richesses inventoriées. Ce projet présente pour lui un double intérêt : vérifier cette hypothèse et gagner, par ailleurs, assez d'argent, grâce à la vente des sculptures qu'il espère ramener de cette expédition, pour pouvoir mener ensuite une existence libre. Sur le bateau qui le conduit en Indochine, il rencontre un aventurier quelque peu apatride, auréolé d'un grand prestige, Perken. Il associe à sa quête cet homme, en raison de sa solide expérience de la brousse. Perken, de son côté, se laisse convaincre par la perspective d'un partage du profit de leurs éventuelles découvertes, car il a besoin d'argent pour acheter des fusils, seul moyen pour lui de protéger la région aux confins du Laos et du Siam, dont il s'est rendu le maître. Il projette également d'aller chez les Moïs, plus au nord, rechercher Grabot, un Européen disparu au cours d'une mission.

Après avoir surmonté ensemble de nombreuses difficultés, ils parviennent à arracher à un temple ses merveilles architecturales. Mais, privés de leur guide, ils sont contraints de passer par une région à demi sauvage et dissidente pour retrouver Grabot. Ils partent vers les montagnes. Après des journées de marche dans la jungle, ils retrouvent l'homme dans le village d'une tribu moï qui l'a réduit en esclavage et rendu aveugle. Grâce à l'audace et à la ruse de Perken, les trois Européens parviennent à échapper au piège mortel de ces lieux et Grabot est renvoyé à Bangkok pour y être soigné. Mais Perken a été accidentellement blessé au cours de la marche où il a osé tenir tête à la tribu assemblée. Claude ne voulant pas abandonner son compagnon en si mauvais état, les deux hommes reprennent ensemble leur marche difficile à travers la forêt en direction du « royaume » de Perken. Le roman s'achève tragiquement avant qu'ils l'aient rejoint.

Ce récit mouvementé d'aventures exotiques, qui commence sur l'océan et se déroule ensuite dans la forêt tropicale, offrait au lecteur de l'entre-deux-guerres le charme du dépaysement, à une époque où les vacanciers ne partaient pas encore en foule vers les contrées lointaines. Seuls quelques voyageurs d'exception, poussés à s'expatrier par leur métier, par le démon de l'aventure, par des curiosités artistiques ou ethniques, allaient chercher « ailleurs » des sensations, des situations inconnues, comme Kessel au Sahara, Claudel en Chine, Farrère au Japon. *La Voie royale* a pour cadre cet Orient dont les mirages avaient attiré déjà au siècle dernier, bien des écrivains voyageurs — Chateaubriand, Lamartine, Nerval, Flaubert, Gobineau, Loti et plus tard Segalen. Pour d'autres motifs, l'Asie moderne connaît à nouveau une véritable vogue dans le monde littéraire, au temps de la jeunesse de Malraux. Elle devient un des « lieux privilégiés du rêve[1] », pour lui, comme pour Saint-John Perse, Morand et les surréalistes... De manière significative, l'année de la publication de *La Voie royale*, en 1930, le jury du Goncourt choisit de couronner un autre récit d'évasion en pays lointain : *Malaisie* de Henri Fauconnier.

Les noms des villes, Djibouti, Bab-el-Mandeb, Colombo, Bangkok, Saigon, Angkor... qui n'étaient à

1. L'expression est de Malraux dans *Le Miroir des limbes*, Gallimard, 1976, « Bibliothèque de la Pléiade », p. 301. L'ouvrage réunit les *Antimémoires* (1967) et *La Corde et les Souris* (1976).

l'époque, pour la plupart des Français, que des points sur la carte, imaginés à partir de leurs lectures et de rares photographies, ponctuent les étapes du voyage des héros de *La Voie royale.* Ceux-ci entrent ensuite en contact avec la faune et la flore luxuriante de ce « Cambodge en décomposition », avec l'humidité suintante de son climat de mousson. Nous plongeons dans l'atmosphère oppressante et tiède des forêts de lianes, bruissantes d'insectes, à la lumière glauque. Nous contemplons, dans son cadre d'origine, un ancien temple brahmanique, ciselé de mille figures, à la fois monumentales et d'une extrême finesse. Nous participons à l'émotion que suscite la bouleversante beauté, sous la patine du temps, de ces vestiges khmers, survivance de la civilisation d'un puissant empire disparu, dont on ignorait alors à peu près tout. Les légendes de l'immense poème épique du *Ramayana*, fort répandues en Asie, viennent jusqu'à nous à travers les motifs des bas-reliefs sculptés mais aussi par la mélopée d'un chanteur des rues de Phnom-Penh. Puis, sur les pas des aventuriers blancs, nous pénétrons dans l'hinterland incomplètement exploré, aux confins des provinces du Siam, du Cambodge, du Laos. Déjà, sur le bateau en route vers l'Asie, ont été évoqués les types plus ou moins recommandables d'Occidentaux qu'attirent ces pays colonisés : exploiteurs ou commerçants avides de faire rapidement fortune, savants que motivent des curiosités ethniques ou archéologiques, administratifs appuyés sur les forces armées, qui imposent leur autorité au nom des Etats colonisateurs qu'ils représentent. On y apprend que ces Etats, soucieux des fins plus que des moyens, confient des missions d'exploration dangereuses à des aventuriers marginaux prêts à courir tous les risques. Les péripéties de l'action nous font découvrir ensuite diverses tribus indigènes. Leur habitat, leurs guerres tribales, leurs rites et leurs croyances, suscitent une impression de mystérieuse étrangeté : inviolabilité du serment de l'alcool de riz, rites funéraires, tombeaux aux sculptures provocantes... Ainsi, sur un tout autre mode que dans son essai *La Tentation de l'Occident*, l'auteur nous fait assister au choc brutal de deux civilisations, les indigènes se défendant par la violence contre l'intrusion et la puissance des Blancs.

Malraux n'est pas motivé par une recherche de l'exotisme et du pittoresque, mais par le souci du petit fait vrai, à la manière de Stendhal, il ouvre des perspectives sur cet autre continent par quelques brefs détails concrets, étroitement liés à la situation narrative. Il a conscience d'évoquer là un monde voué à une prochaine disparition, ou, tout au moins, à une profonde transformation par l'effacement des différences. Cette idée s'exprime, de manière implicite, dans la narration, et plus clairement, dans les propos de Perken. Elle ne s'accompagne pas d'une prise de position idéologique déclarée à propos des conflits coloniaux, à la manière de Bodard, de Jules Roy ou de Larteguy. Ici le récit ne vire pas au roman politique, encore moins au roman à thèse. Dans les dernières séquences du roman, toutefois, on voit le progrès technique, sous la forme d'un chemin de fer, repousser toujours plus loin vers la « sauvagerie », vers les terres inexploitables — donc vers l'extinction — les peuples indigènes, réduits à la famine, les pionniers dévastant la forêt et la nature encore vierge.

Ces évocations n'appartiennent pas à un exotisme de fantaisie. Elles prennent appui sur un contact personnel de l'auteur et sur les témoignages d'autres Européens dignes de foi. Le destin romanesque et l'histoire des personnages relèvent de la littérature d'expérience qu'imposèrent, durant les années trente, sous les formes les plus diverses, les écrits d'avant-garde, depuis *Nadja* de Breton jusqu'au *Voyage au bout de la nuit* du docteur Destouches, dit Céline. Tous les romans de Malraux sont la transposition, dans l'imaginaire, d'expériences réelles et décisives : la fiction romanesque prend sa source et son sens dans les réactions personnelles à l'égard de certaines situations vraies, la réalité vécue apportant à l'univers imaginaire la garantie de l'authenticité. Mais dans La *Condition humaine*, *L'Espoir*, *Le Temps du mépris*, l'auteur a tissé l'intrigue et inventé les personnages en élargissant à tel point son expérience aux dimensions des grands événements collectifs du siècle, auxquels il a été mêlé, qu'on perd de vue l'homme[1]. Tandis que, dans *La Voie royale*, il se tient encore près des péripéties de sa vie personnelle. Ce récit est le plus riche en éléments autobiographiques. Les démêlés avec l'administration coloniale, le parcours à cheval dans la jungle tropicale, l'extraction difficile des pierres sculptées d'un ancien temple khmer, leur transport, qui constituent la trame anecdotique de la première moitié du récit, sont la version romancée et dramatisée de l'aventure indochinoise vécue par Clara et André Malraux, dont on trouve la trace dans leurs Mémoires respectifs[2]. En résumé, tels furent les faits : le couple, parti à la recherche de trésors artistiques et archéologiques, découvrit, dans la forêt cambodgienne, un petit temple en ruine, en emporta quelques sculptures qu'il put détacher à la scie. Arrêtés sur le chemin du retour, Malraux fut retenu à Phnom-Penh durant

1. Restant très discret sur lui-même, Malraux fait cet aveu révélateur dans ses *Antimémoires*, où il parle effectivement fort peu de sa vie intime : « Je ne m'intéresse guère. »

2. Leurs souvenirs, dans l'ensemble, se recoupent, quoique consignés sous une forme opposée : prolixe et personnelle dans *Le Bruit de nos pas, II, Nos vingt ans*, Grasset, 1966, rééd. 1986, allusive et distante dans la quatrième partie des *Antimémoires*, titrée « La Voie royale » dans la première édition de 1967.

toute l'année 1924 et soumis à un procès pour « bris de monuments » et « détournement de fragments de bas-reliefs dérobés au temple de Banteaï-Srey, du groupe d'Angkor ». Il fut condamné[1].

L'aventure de jeunesse, qui sert ici de tremplin à l'imagination et fournit des matériaux à l'écrivain, donne au roman une tonalité intime et une charge émotionnelle, révélatrice de la personnalité de l'homme. Le personnage principal, Claude Vannec, passionné d'art khmer, offre de nombreux points communs avec l'auteur : l'âge (vingt-six ans), le passé familial (le grand-père armateur, le divorce des parents dès la toute petite enfance), le père valorisé par son courage de guerrier et une mère qui l'est moins, abandonnée et recueillie avec le fils par un aïeul (une grand-mère maternelle dans le cas de Malraux), la jeunesse solitaire. Les ressemblances vont jusqu'à l'aversion pour les araignées et insectes en tout genre... Une même situation financière peu brillante, une même révolte contre la vie que la société de leur temps et de leur pays tend à leur imposer, les mêmes théories sur l'art et les mêmes goûts animent l'homme et sa créature de fiction. Les lectures qui ont conduit Claude en Extrême-Orient sont celles de Malraux. A Hanoï, au cours de la visite officielle à la direction de l'Ecole française d'Extrême-Orient, la discussion de Claude avec Albert Ramèges est particulièrement riche en résonances. On perçoit, dans ces quelques pages, l'esquisse des théories de Malraux sur la métamorphose des œuvres d'art dans le temps ; Claude, annonçant le grand comparatiste des essais de la maturité, exprime sa fascination pour les œuvres qui, engendrées par des civilisations fort éloignées de nous dans le temps ou

1. Voir les Commentaires : « Les sources autobiographiques », p. 177.

l'espace, parviennent à toucher notre sensibilité. Pour le héros, comme pour le Malraux de *La Métamorphose des dieux*, les musées sont « des lieux où les œuvres du passé, devenues mythes, dorment, — vivent d'une vie historique — en attendant que les artistes les rappellent à une existence réelle », lorsque les mythes du présent coïncideront à nouveau avec ceux du passé, l'artiste ayant ainsi un pouvoir de résurrection. Quand il se trouvera en face des statues qu'il est venu chercher de si loin, Claude est « désorienté comme par tout ce qui nous arrache à notre condition d'homme, par ces danseuses sculptées qui fixaient leur geste éternel au-dessus d'une cour de mille-pattes et de bêtes des ruines, douées de l'inexplicable vie qui convenait si bien à ce vivant silence ». Dans ce passage, emprunté au manuscrit[1], qui atteste l'inspiration commune de l'essayiste et du romancier, on entend clairement déjà le finale émouvant des *Voix du silence.*

Mais l'écrivain exploite, en toute liberté, les matériaux venus de sa biographie, car son projet n'est pas de raconter fidèlement *sa* vie, mais de communiquer des idées auxquelles il tient, sous la forme d'une parabole où le réel et la fiction s'étayent mutuellement. Malraux est de ces écrivains qui mêlent la fiction à leur vie pour vivre ensuite à la hauteur de leur fiction, explorant, par leurs écrits, le champ du possible. *La Voie royale* est une interrogation éthique et métaphysique sur les rapports de l'homme avec son destin, sur le sens de la vie. Dès la première moitié du roman, jusqu'au moment où les acteurs mettent la main sur

1. Le manuscrit donne des indications précieuses sur l'art du récit chez Malraux. Voir les Commentaires : « Structure romanesque et agencement de l'artiste », p. 175.

les précieuses sculptures, l'auteur plie la réalité aux nécessités de cette quête[1]. Au fur et à mesure que le roman s'écrit et que l'intrigue progresse, l'imaginaire impose sa loi et prend ses distances par rapport au réel, selon la même démarche que dans *Les Conquérants.* La deuxième moitié de *La Voie royale* se déroule dans une région que l'auteur ne connaissait pas. La figure centrale n'en est plus le jeune Vannec, mais son compagnon, Perken, l'aventurier conquérant.

A une époque où la conquête coloniale touche à sa fin, ainsi que le prestige de l'aventure géographique, comme l'auteur le rappellera dans ses *Antimémoires*, c'est la psychologie de l'aventurier dans sa signification la plus profonde, on pourrait dire métaphysique, que l'écrivain se propose de mettre en scène, comme il le fera plus tard pour le révolutionnaire, le terroriste ou l'artiste. Malraux exprime son intention de « dire la vérité sur l'aventure, une vérité qui est simplement l'exactitude[2] ». Il s'agissait de démystifier une vision quelque peu romantique et fausse. L'aventure, note l'auteur, l'expérience aidant, ce sont « des fourmis qui s'écrasent sous la paume des mains, des insectes, des reptiles, des dangers repoussants à chaque pas qu'on fait dans la brousse[3] ». Pourquoi alors choisir cette vie ?

1. Pour le détail des écarts entre réalité et fiction, voir Clara Malraux, *Nos vingt ans, op. cit.*, pp. 88-159, et surtout Jean Lacouture, *André Malraux. Une vie dans le siècle*, Seuil, 1973 (Deuxième Partie, ch. 5, 6, 7, pp. 51-79), enfin André Vandegans, *La Jeunesse littéraire d'André Malraux. Essai sur l'inspiration farfelue*, J.-J. Pauvert, 1964, pp. 214-239.

2. L'auteur précise ses intentions dans le texte destiné à la publicité du roman (Archives B. Grasset, citées par W. Langlois, dans les *Œuvres complètes*, « La Bibliothèque de la Pléiade », 1989, vol. 1, p. 1136).

3. Entretien avec André Rousseaux dans *Candide*, voir note 2, p. 181.

Mis à part le type désintéressé du missionnaire pour qui l'aventure est un moyen et non un refuge ou un but, le mobile semble être, pour les autres, l'appât du gain. Mais ce n'est que prétexte. Prenant l'exemple du chercheur d'or, l'auteur souligne : « S'il réfléchissait sérieusement cinq minutes, il serait le premier à convenir que les quelques pépites qu'il trouvera après deux ou trois ans d'efforts sont un enjeu qui ne vaut pas la chandelle. Non, il se fuit lui-même, c'est-à-dire qu'il fuit sa hantise de la mort — en même temps qu'il court vers elle. » Telle est la motivation profonde de Perken. Quant au profit que les deux héros prétendent tirer de trésors archéologiques si durement conquis, s'il en est longuement question au moment de se lancer dans l'action, on le perd de vue, ensuite.

L'aventurier agit et prend des risques, moins pour acquérir richesse et puissance que pour justifier sa présence sur la terre. L'auteur définit en ces termes la conception qu'il en a : « l'aventurier est évidemment hors la loi, l'erreur est de croire qu'il soit seulement hors la loi écrite, hors la convention. Il est opposé à la société dans la mesure où celle-ci est la forme de la vie ; il s'oppose moins à ses conventions rationnelles qu'à sa nature. De même que le poète substitue à la relation des mots entre eux une nouvelle relation, l'aventurier tente de substituer à la relation des choses entre elles — aux "lois de la vie" — une relation particulière. L'aventure commence avec le dépaysement, au travers duquel l'aventurier finira fou, roi ou solitaire ; elle est le réalisme de la féerie[1] ». Malraux associe l'insoumission de l'aventurier à celle de l'artiste. Il leur voue la même estime, car l'un et l'autre sont, chacun à leur manière, de « grands navigateurs », attirés vers les

1. Commentaires de Malraux à l'ouvrage de Gaëtan Picon sur son œuvre : *Malraux par lui-même*, Seuil, 1953, note 30, pp. 78 et 80.

terres inconnues ; leurs mythes et leurs rêves sont refus de la réalité telle qu'elle est. A l'un des personnages de *La Voie royale*, l'auteur fait dire : « Tout aventurier est né d'un mythomane. » Tout romancier aussi. Dans *La Condition humaine*, Clappique, autre type d'aventurier mythomane, va jusqu'à dire : « les romans ne sont pas sérieux, c'est la mythomanie qui l'est » — c'est-à-dire la force intérieure qui conduit un individu à vivre dans un monde recréé par lui, que ce monde soit emprunté au réel ou imaginaire, pour prendre sa revanche contre l'univers. D'où la fascination persistante de l'écrivain pour tous les grands artistes mais aussi pour les aventuriers conquérants qui survivent dans la mémoire des hommes : Alexandre le Grand, la reine de Saba, Napoléon, Lawrence d'Arabie et, dans *La Voie royale*, David de Mayrena.

C'est l'obsession de l'irrémédiable, des limites irrévocables du temps humain qui pousse Perken à s'exposer aux dangers. L'homme arrivé au seuil de la vieillesse observe les signes de l'âge, la diminution de sa vie sexuelle. Autant de manifestations de la mort qu'il porte en lui. D'où son besoin de s'aveugler par une action frénétique, par la possession insatiable des femmes, qui débouche sur un érotisme sans joie. D'où l'étrange sentiment de liberté, d'« exaltation tragique », « d'allégresse farouche » qu'il éprouve durant sa marche folle vers les guerriers moïs. Dans cette scène qui constitue l'un des sommets de l'œuvre romanesque de Malraux, le héros est prêt à tout pour échapper à une humiliation et à une déchéance imposée dont Grabot lui offre l'image repoussante.

Mais son action n'engage pas seulement lui-même ; elle a une portée générale et intemporelle qui dépasse l'individu mortel : nouveau Prométhée défiant la fatalité, Perken la vit comme une « libération de l'état humain ». Contre toute attente, on pourrait même dire contre toute vraisemblance, son courage, son astuce triomphent de l'épreuve, mais la mort le rattrapera. Elle est son seul réel adversaire. Le dénouement peint l'écrasement de l'orgueil humain face à elle. Dans l'élan final s'exprime la révolte devant l'absurdité de la mort, ressentie comme une défaite monstrueuse et inacceptable, la suprême manifestation de la douleur et de l'impuissance humaines. A bout de ressources, le héros doit regarder en face son néant. La « fraternité désespérée » qu'éprouve Claude devant Perken mourant reste ici, comme dans tous les romans de Malraux, la seule valeur sûre. Ce portrait de l'aventurier conduit l'auteur à aborder divers thèmes : l'érotisme, le suicide. Il évoque, avec nuances, le problème moral que le geste d'autodestruction soulève dans notre culture. Sans aucune attirance, ni incitation morbide, il ne le condamne pas quand il représente l'unique moyen d'affirmer sa liberté, comme pour le héros de *La Condition humaine*, Kyo, ou le grand-père des *Noyers de l'Altenburg*, Dietrich Berger.

Mais *La Voie royale* n'est pas davantage un essai métaphysique qu'une autobiographie. C'est avant tout une œuvre d'art, une forme construite dont les éléments apparemment réalistes se doublent d'une signification symbolique. La pensée, jamais abstraite, se métamorphose en mythe grâce, en particulier, aux images. Les descriptions, plus étendues que dans les autres romans d'action de Malraux, imposent une atmosphère singulièrement oppressante. Plus qu'elle ne fait voir, l'évocation de la forêt tropicale, de ses myriades d'insectes, de son exubérance malsaine chargée de fièvre et de miasmes, de son sol spongieux, domaine du pourri, devient métaphore du néant, de toutes les forces de la nature indifférente, liguée aux sociétés — civilisées ou sauvages — pour écraser l'homme. La jungle, c'est la confrontation de la vie élémentaire, collective, larvaire avec la conscience et la volonté de l'individu solitaire. Sa faune et sa flore deviennent « la menace dont on fait les Dieux ». Y résonnent assourdies les plus anciennes voix de la mort. Ses sortilèges finissent par assimiler les animaux qui y prolifèrent, les indigènes qui y vivent. La maladie elle-même devient une émanation de la forêt : en empêchant le transport rapide de Perken, c'est elle qui le tue, plus que la fléchette des Moïs qui l'a accidentellement blessé. La forêt-paysage devient un acteur du drame.

La tension repose sur une série d'oppositions tranchées entre le courage, l'obstination des hommes et la déchéance, l'impuissance devant la mort, l'humain (art, fraternité, érotisme) et l'inhumain (grouillement inquiétant des éléments mal contrôlables : la forêt, les insectes, la « sauvagerie »), l'Orient et l'Occident... La signification de la Voie royale, qui donne son titre au roman, est elle-même double, plus explicite dans les premiers états du texte, comme souvent chez Malraux. Elle est à la fois lieu géographique et symbole d'un art « anti-destin » : ses temples demeurent le défi des hommes aux injures du temps.

L'accueil fait au roman

L'ampleur du registre de *La Voie royale*, la diversité des thèmes qui s'y mêlent, souvent sous forme allusive, leur résonance et leurs harmonies sont perçues par le lecteur actuel sous l'éclairage de l'œuvre considérable qui a suivi. En 1930, les contemporains prirent connaissance de ce second roman dans *La Revue de Paris*, par une publication en plusieurs livraisons, selon l'usage de l'époque, du 15 août 1930 jusqu'au 1er octobre. L'ouvrage parut le 15 de ce mois chez Grasset dans la collection des « Cahiers verts », dirigée par Daniel Halévy, l'achevé d'imprimer étant daté du 7 octobre. Cette édition originale comportait, en finale, une « Note » qui présentait le roman comme le « tome premier » d'une œuvre plus ample, « *Les Puissances du désert* », « dont cette initiation tragique n'était que le prologue ». La suite ne devait jamais paraître, mais l'interrogation tragique que le récit soulève eut effectivement des prolongements : les années d'écriture qui suivirent furent des tentatives de réponse, dans l'ordre de la politique ou de l'art, au terrible cri lancé à la fin du roman contre le silence des Dieux. Les « tomes suivants », écrit l'auteur dans les *Antimémoires*, « sont devenus *La Condition humaine* ». On pourrait ajouter que *La Lutte avec l'ange*, *Le Démon de l'absolu* qui tournent autour de la figure d'un autre aventurier, Thomas Edward Lawrence, dit Lawrence d'Arabie, sont aussi un prolongement de ces *Puissances du désert.*

Les lecteurs furent quelque peu désarçonnés par le changement d'orientation que semblait marquer ce récit d'aventures. La publication des *Conquérants* avait déjà donné à l'auteur la réputation d'un écrivain politique, engagé dans la Révolution. Mais, comme le prouvent les comptes rendus que les plus grands critiques de l'époque consacrèrent au roman dès sa sortie[1], la plupart furent sensibles à la qualité de l'ouvrage. Ils rendirent hommage à son authentique valeur littéraire et à la puissance du style. Benjamin Crémieux, dans *Les Annales*, loua fort la beauté des évocations de la forêt qui égalait « en intensité et en poésie cosmique, sans leur ressembler, les plus belles pages de Loti et de

1. Thérive présenta le roman dans *Le Temps*, Kessel dans *Le Matin*, André Billy dans *L'Œuvre*, Robert Kemp dans *La Liberté*, etc.

Conrad ». Quelques-uns (Edmond Jaloux dans *Les Nouvelles littéraires*, René Lalou dans *L'Europe nouvelle*, Auguste Bailly, dans *Candide*) attirèrent l'attention sur la portée philosophique du roman.

Les réactions négatives furent essentiellement d'ordre moral et vinrent de critiques conservateurs ou d'extrême droite (Pierre Lœwel dans *L'Ordre*, M. Tournoel dans *L'Action française*) ou de colons qui se souvenaient du procès de Phnom-Penh et des éditoriaux hostiles à l'administration coloniale du rédacteur en chef de *L'Indochine* (*Le Bulletin de l'Agence économique de l'Indochine*). Au nom de la morale, on condamnait les deux héros hors la loi et leurs « délires d'orgueil » ; au nom de l'exactitude factuelle, on contestait des points de détail, comme la localisation des Moïs sur la rive droite du Mékong. Cela n'empêcha pas Drieu La Rochelle de rendre un chaleureux hommage à l'auteur, dans un article resté célèbre (*La Nouvelle Revue française*, décembre 1930) sous le titre « Malraux, l'homme nouveau ».

Les contemporains ne se trompèrent pas sur les promesses de cette épure. Malraux fut le premier lauréat, en décembre 1930, du Prix Interallié. Il élargit ainsi sa notoriété auprès du grand public, avant que le Prix Goncourt, pour son roman suivant, *La Condition humaine* (1933), ne fasse de lui un écrivain de dimension internationale.

Les éditions

Depuis l'édition originale des « Cahiers verts », *La Voie royale* a fait l'objet de très nombreuses impressions aussi bien dans Le Livre de Poche, chez Grasset, que dans des éditions de luxe destinées aux bibliophiles et illustrées (par Walter Spitzer, Zao-Wou-ki, Alexeïeff, pour ne citer que les plus connus). Ce roman fut également réimprimé dans les éditions collectives des *Œuvres complètes* (Skira, 1945 ; Gallimard, « La Gerbe illustrée » ou des *Romans* (*Tous les romans*, Gallimard, 1951). Toutefois l'auteur ne le retint pas pour la première publication des *Romans* dans « La Bibliothèque de La Pléiade » en 1947, où ne figurent que les trois récits de la révolution : *Les Conquérants*, *La Condition humaine* et *L'Espoir.* En revanche, *La Voie royale* fut introduit dans la réédition de 1976, l'année de la mort de l'auteur, et revu par lui à cette occasion.

Le premier volume des *Œuvres complètes*, dans la Pléiade, offre la première édition critique de ce roman et jusqu'à ce jour la seule. Les cent cinquante pages de présentation, de notes et de variantes établies par Walter Langlois, auteur d'*André Malraux, L'Aventure indochinoise*, apportent une somme considérable d'informations d'ordre biographique et historique, de mises au point érudites auxquelles nous devons beaucoup. Elles donnent une idée plus juste de l'arrière-plan de *La Voie royale* et de l'orchestration complexe de cet étrange roman d'aventures et de mort.

Projets d'adaptation cinématographique

Ce récit a fait l'objet de plusieurs projets qui n'ont pas abouti, Malraux ayant toujours été fort réticent à l'égard de la transposition de ses romans tant au théâtre qu'au cinéma, sauf à réécrire lui-même si librement le scénario qu'il en faisait une œuvre nouvelle, comme pour *Sierra de Teruel-L'Espoir.* D'après les archives des éditions Grasset que nous avons pu consulter, l'auteur avait envisagé une collaboration avec la Société Iberia Film (lettre de Malraux à Bernard Privat, datée du 13 mars 1956).

Une lettre de Manès Sperber adressée à Malraux, le 30 juillet 1956, fait état de l'intérêt de Rossen qui souhaitait produire le film avec Columbia, mais « fabriquer le scénario lui-même (avec des collaborations) » et « coller au livre », tandis que Columbia insistait pour introduire une vedette féminine. On songea un moment à réunir, dans une brillante distribution, trois acteurs qui auraient constitué un « argument décisif aux yeux des dinosaures d'Hollywood » et leur auraient fait « oublier l'histoire d'amour » : Curd Jurgens, « acteur allemand très en vogue (notamment auprès des Américains) », Louis Jourdan et James Mason.

Dans les archives des éditions Grasset, on trouve à nouveau, daté du 23 mars 1959, un contrat en blanc prévoyant l'adaptation de *La Voie royale.* Plus tard, par l'intermédiaire de son secrétariat, en date du 1er mars 1967, Malraux oppose un refus à la sollicitation de M. Teisseire, précisant qu'il ne peut être question de l'adaptation cinématographique d'une de ses œuvres durant toute la durée de ses fonctions ministérielles. En réponse à la lettre de Jean-Claude Fasquelle du 28 mai 1969, Malraux finit par donner son accord par l'intermédiaire d'Albert Beuret (lettre du 4 juillet 1969), pour une réalisation par la Metro Goldwyn Mayer, avec une mise en scène de Terence Young. Ce film n'a jamais été réalisé.

C.M.

CELUI QUI REGARDE LONGTEMPS
LES SONGES DEVIENT SEMBLABLE
À SON OMBRE.

Proverbe malabar[1].

1. Certaines éditions sont précédées d'une épigraphe qui ne figure ni dans l'édition originale, ni en Pléiade, mais qui rime avec l'épigraphe de *La Tentation de l'Occident* :

Celui qui regarde longtemps les singes
devient semblable à son ombre.
Proverbe malabar.

Le fragment le plus ancien de *Royaume-farfelu*, publié la même année que *La Voie royale*, commençait par cette phrase : « J'écris pour posséder mes songes. » Les héros aventuriers de *La Voie royale*, comme leur auteur, ne se contentent pas de rêver ; ils veulent concrétiser leurs rêves.

PREMIÈRE PARTIE

I

Cette fois, l'obsession[1] de Claude entrait en lutte : il regardait opiniâtrement le visage de cet homme, tentait de distinguer enfin quelque expression dans la pénombre où le laissait l'ampoule allumée derrière lui. Forme aussi indistincte que les feux de la côte somalie perdus dans l'intensité du clair de lune où miroitaient les salines… Un ton de voix d'une ironie insistante qui lui semblait se perdre aussi dans l'obscurité africaine, y rejoindre la légende[2] que faisaient rôder autour de cette silhouette confuse les passagers avides de potins et de manilles, la trame de bavar-

1. La nature de cette « obsession » sera élucidée plus loin (p. 30).
2. L'auteur crée, d'emblée, un climat de mystère autour des deux personnages principaux. La « légende » de Perken, liée à « la vie des Etats indépendants d'Asie », sera elle aussi explicitée plus loin (pp. 27, 30, 35). Elle s'inspire de la vie des aventuriers européens qui se sont rendus en Asie pendant la deuxième moitié du XIXe siècle, au moment où les grandes puissances coloniales de l'Europe s'y installaient.

dages, de romans et de rêveries qui accompagne les blancs qui ont été mêlés à la vie des Etats indépendants d'Asie.

« Les hommes jeunes comprennent mal… comment dites-vous ?… l'érotisme[1]. Jusqu'à la quarantaine, on se trompe, on ne sait pas se délivrer de l'amour : un homme, qui pense, non à une femme comme au complément d'un sexe, mais au sexe comme au complément d'une femme, est mûr pour l'amour : tant pis pour lui. Mais il y a pis ; l'époque où la hantise du sexe, la hantise de l'adolescence, revient, plus forte. Nourrie de toutes sortes de souvenirs… »

Claude, sentant l'odeur de poussière, de chanvre et de mouton attachée à ses habits, revit la portière de sacs légèrement relevée derrière laquelle un bras lui avait montré, tout à l'heure, une adolescente noire, nue (épilée), une éblouissante tache de soleil sur le sein droit pointé ; et le pli de ses paupières épaisses qui exprimait si bien l'érotisme, le besoin maniaque, « le besoin d'aller jusqu'au bout de ses nerfs », disait Perken… Celui-ci continuait :

« … Ils se transforment, les souvenirs… L'imagination, quelle chose extraordinaire ! En soi-même, étrangère à soi-même… L'imagination… Elle compense toujours… »

Son visage accentué sortait à peine de la pénombre, mais la lumière luisait entre ses lèvres, sur le bout de sa cigarette, doré sans doute. Claude sentait que ce qu'il pensait approchait peu à peu de ses paroles, comme cette barque qui venait à lentes foulées, le

1. L'érotisme tient une assez large place dans les premiers écrits de Malraux, en tant que comportement humain significatif (*cf.* son commentaire dans la préface à *L'Amant de Lady Chatterley* et aux *Liaisons dangereuses).*

reflet des feux du bateau sur les bras parallèles des rameurs :

« Que voulez-vous dire exactement ?

— Vous comprendrez de vous-même, un jour ou l'autre... les bordels somalis sont pleins de surprises... »

Claude connaissait cette ironie haineuse qu'un homme n'emploie guère qu'à l'égard de soi-même ou de son destin.

« Pleins de surprises », répéta Perken.

« Lesquelles ? » se demandait Claude. Il revoyait les taches des lampes à pétrole entourées d'insectes, les filles au nez droit, sans rien qui appelât le mot « négresse », sinon le blanc éclatant de l'œil entre la prunelle et la peau sombre ; soumises à la flûte d'un aveugle, elles avançaient en rond, chacune frappant avec rage la croupe trop forte de celle qui la précédait. Et, d'un coup, leur ligne se rompant avec la mélodie ; chacune, soutenant de la voix la note charnelle de la flûte, s'arrêtant, la tête et les épaules immobiles, les yeux fermés, tendue, se libérant en faisant vibrer sans fin les muscles durs de ses fesses et de ses seins droits dont la sueur accentuait le frémissement sous la lampe à pétrole... La patronne avait poussé vers Perken une fille toute jeune, qui souriait.

« Non, dit-il ; l'autre, là-bas. Au moins ça n'a pas l'air de l'amuser. »

« Sadique ? » se demandait maintenant Claude. On parlait des missions que le Siam[1] lui avait confiées

1. A partir du moment où la France commença à s'installer sérieusement en Indochine — les territoires colonisés comprenaient, en 1888, la Cochinchine, l'Annam, le Tonkin et le Cambodge (protectorat), puis, à partir de 1893, le Laos — le roi du Siam se soucia de plus en plus de l'hinterland moï et intensifia ses efforts pour affirmer sa présence jusqu'à la frontière Tonkin-Annam. La France essaya

auprès des tribus insoumises, de son organisation du pays shan et des marches laotiennes, de ses rapports singuliers avec le gouvernement de Bangkok, tantôt cordiaux, tantôt menaçants ; de la passion qu'on lui prêtait naguère pour sa domination, pour cette puissance sauvage sur laquelle il ne permettait pas le moindre contrôle, de son déclin, de son érotisme ; pourtant, sur ce bateau, il eût été entouré de femmes, s'il ne s'en fût défendu. « Il y a quelque chose, mais ce n'est pas le sadisme… »

Perken reposa sa tête sur le dossier de sa chaise longue : son masque de brute consulaire apparut en pleine lumière, accentué par l'ombre des orbites et du nez.

La fumée de sa cigarette monta, droite, se perdit dans l'intensité de la nuit.

Le mot sadisme, resté dans l'esprit de Claude, y appela un souvenir.

« Un jour, on me mène, à Paris, dans un petit bordel minable. Au salon il y avait une seule femme, attachée sur un chevalet par des cordes, un peu Grand-Guignol, les jupes relevées…

— De face ou de dos ?

— De dos. Autour, six ou sept types : petits bourgeois à cravates toutes faites et vestons d'alpaga (c'était en été, mais il faisait moins chaud qu'ici…), les yeux hors de la tête, les joues cramoisies, s'efforçant de faire croire qu'ils voulaient *s'amuser*... Ils s'approchaient de la femme, l'un après l'autre, la fessaient — une seule

de faire face à cette pénétration siamoise en envoyant, de son côté, une série de missions qui devaient préciser les frontières en litige et confirmer sa présence dans la région. C'est dans ce but que fut envoyé officieusement l'aventurier David de Mayrena. La pression française aboutit à un traité avec le Siam en 1893 qui reconnaissait à la France la possession de la rive gauche du Mékong, l'hinterland moï d'Annam et du Cambodge.

claque chacun — payaient et s'en allaient, ou montaient au premier étage…

— C'était tout ?

— Tout. Et très peu montaient : presque tous partaient. Les rêves de ces bonshommes qui repartaient en remettant leur canotier, en tirant les revers de leur veston…

— Des simples, tout de même… »

Perken avança le bras droit, comme pour accompagner d'un geste une phrase, mais hésita, luttant contre sa pensée.

« L'essentiel est de *ne pas connaître* la partenaire. Qu'elle soit : l'autre sexe.

— Qu'elle ne soit pas un être qui possède une vie particulière ?

— Dans le masochisme plus encore. Ils ne se battent jamais que contre eux-mêmes… A l'imagination on annexe ce que l'on peut, et non ce que l'on veut. Les plus stupides des prostituées savent combien l'homme qui les tourmente, ou qu'elles tourmentent, est loin d'elles : savez-vous comment elles appellent les irréguliers ? Des cérébraux… »

Claude pensa que le mot : « irréguliers », lui aussi… Il ne quittait plus du regard ce visage tendu. Cette conversation était-elle orientée ?

« Des cérébraux, reprit Perken. Et elles ont raison. Il n'y a qu'une seule "perversion sexuelle" comme disent les imbéciles : c'est le développement de l'imagination, l'inaptitude à l'assouvissement. Là-bas, à Bangkok, j'ai connu un homme qui se faisait attacher, nu, par une femme, dans une chambre obscure, pendant une heure…

— Eh bien ?

— C'est tout ; c'était suffisant. Celui-là était un "perverti" parfaitement pur… »

Il se leva. « Veut-il dormir, se demanda Claude, ou rompre cette conversation ?... » A travers la fumée qui montait, Perken s'éloignait, enjambant l'un après l'autre les négrillons qui dormaient entre les paniers de coraux, la bouche ouverte, rose. Son ombre se raccourcissait ; celle de Claude resta seule allongée sur le pont. Ainsi, son menton avançant semblait presque aussi vigoureux que les mâchoires de Perken. L'ampoule bougea, et l'ombre commença à trembler : dans deux mois, que resterait-il de cette ombre, et du corps qu'elle prolongeait ? Forme sans yeux, sans ce regard résolu et anxieux qui l'exprimait bien plus, ce soir, que cette silhouette virile qu'allait traverser le chat du bord. Il avança la main : le chat s'enfuit. L'obsession retomba sur lui.

Encore quinze jours de cette avidité ; quinze jours à attendre sur ce bateau, avec une angoisse d'intoxiqué privé de sa drogue. Il sortit une fois de plus la carte archéologique du Siam et du Cambodge ; il la connaissait mieux que son visage... Il était fasciné par les grandes taches bleues dont il avait entouré les Villes mortes, par le pointillé de l'ancienne Voie royale, par sa menaçante affirmation : l'abandon en pleine forêt siamoise. « Au moins une chance sur deux d'y claquer... » Pistes confuses avec des carcasses de petits animaux abandonnés près de feux presque éteints, fin de la dernière mission en pays jaraï : le chef blanc, Odend'hal[1],

1. Prosper Odend'hal est une personnalité marquante de notre histoire coloniale. Officier de carrière, il fut attaché, dans la première période de la présence française en Indochine, à plusieurs missions d'exploration topographique et ethnographique. En 1904, envoyé à la frontière du pays des Jaraïs dans l'hinterland moï, pour une mission géographique, il fit des découvertes intéressantes qui le décidèrent à s'avancer dans une région dangereuse, refusant des armes supplémentaires, pour donner la preuve aux populations locales de ses intentions pacifiques. Ses recherches autour de la fameuse épée

assommé à coups d'épieux, la nuit, par les hommes du sadète du feu, dans le bruissement de palmes froissées qui annonçait l'arrivée des éléphants de la mission... Combien de nuits devrait-il veiller, exténué, harcelé de moustiques, ou s'endormir en se fiant à la vigilance de quelque guide?... On a rarement la chance de combattre... Perken connaissait ce pays, mais n'en parlait pas, Claude avait été séduit d'abord par le ton de sa voix (c'était la seule personne du bateau qui prononçât le mot : énergie, avec simplicité); il y devinait que cet homme aux cheveux presque gris aimait bien des choses qu'il aimait aussi. Il l'avait entendu, pour la première fois, devant un grand pan rouge de la côte d'Egypte, conter dans un remous d'intérêt et d'hostilité la découverte de deux squelettes (des pilleurs de sépultures sans doute) trouvés lors des dernières fouilles de la Vallée des Rois sur le sol d'une salle souterraine d'où partaient des galeries tapissées à l'infini de momies de chats sacrés. Une expérience assez restreinte avait suffi à lui montrer que les imbéciles sont aussi nombreux parmi les aventuriers qu'ailleurs, mais cet homme l'intriguait. Depuis, il l'avait entendu parler de Mayrena, l'éphémère roi des Sedangs[1] :

sacrée, trésor cham légendaire, furent la cause de sa mort : il fut assassiné par surprise, sur l'ordre du sadète de l'eau, l'un des deux grands sorciers jaraïs. La mort d'Odend'hal servit de justification pour l'occupation effective du haut pays par les troupes françaises. Dans les *Antimémoires* (première éd. 1967, p. 472), Malraux précise que son admiration pour les aventuriers qui parcoururent l'Indochine alla surtout à des hommes comme Odend'hal qui « osèrent [...] se rendre sans armes chez les insoumis ou les révoltés ».

1. Cet aventurier des plus romanesques, arrivé en Indochine en 1865, convainquit les autorités françaises de l'envoyer en mission dans la région située entre l'Annam et le Mékong en 1888. Il réussit à négocier des alliances personnelles avec la plupart des tribus moïs et fut, pour un temps bref, reconnu « roi » d'une confédération

« Je pense que c'était un homme avide de jouer sa biographie, comme un acteur joue un rôle[1]. Vous, Français, vous aimez ces hommes qui attachent plus d'importance à... voyons, oui... à *bien jouer le rôle* qu'à vaincre. »

(Claude se souvint de son père qui, à la Marne, quelques heures après avoir écrit : « Maintenant, mon cher ami, on mobilise le droit, la civilisation et les mains coupées des enfants. J'ai assisté dans ma vie à deux ou trois déferlements d'imbécillité : l'affaire Dreyfus n'était pas mal mais ceci est assurément supérieur aux essais précédents en tous points, et même en qualité », s'était fait tuer avec un grand courage, en service volontaire.)

« Cette attitude, reprit Perken, exalte la bravoure, qui fait partie du rôle... Mayrena était très brave... Il a emmené à dos d'éléphant le cadavre de sa petite concubine chame, à travers la forêt insoumise, pour qu'elle pût être ensevelie comme les princesses de sa race (les missionnaires lui avaient refusé leur cimetière)... Vous savez qu'il est devenu roi en combattant deux chefs sedangs au sabre, et il a tenu quelque temps en pays jaraï... ce qui n'est pas très facile...

— Vous connaissez des gens qui ont vécu chez les Jaraïs ?

— Moi : huit heures.

— C'est court », répondit Claude en souriant.

Perken sortit de sa poche sa main gauche et la mit sous les yeux de Claude, les doigts écartés ; chacun des

de Sedangs. Il tenta en vain de monnayer avec la France ces territoires. Il mourut en 1890 dans la misère, des suites d'une morsure de serpent. Perken semble avoir mis sur pied une confédération du même ordre, mais en relation avec l'Etat du Siam.

1. Cette tentation de l'homme qui se cherche à travers des modèles d'envergure et qui se forge, à partir de là, une certaine idée de lui-même à laquelle il s'efforce de s'identifier, n'est pas étrangère à la personnalité de Malraux.

trois plus grands était creusé d'un sillon profond, en spirale, comme un tire-bouchon.

« Avec les mèches[1] », c'est assez long.

Blessé de sa maladresse, Claude hésita ; mais Perken revenait à Mayrena :

« En somme, il est mort bien mal, comme presque tous les hommes... »

Claude connaissait cette agonie, sous une paillote de Malaisie : l'homme décomposé par son espoir trompé comme par une tumeur, terrifié par le son de sa voix que répercutaient les arbres géants...

« Pas si mal...

— Le suicide ne m'intéresse pas.

— Parce que ?

— Celui qui se tue court après une image qu'il s'est formée de lui-même : on ne se tue jamais que pour *exister.* Je n'aime pas qu'on soit dupe de Dieu. »

Chaque jour la ressemblance que Claude avait pressentie était devenue plus évidente, accentuée par les inflexions de la voix de Perken, par sa façon de dire « ils » en parlant des passagers — et peut-être des hommes — comme s'il eût été séparé d'eux, par son indifférence à se définir socialement. Sous le ton de cette voix, Claude devinait une expérience humaine vaste[2], quoique peut-être minée en quelques points, et qui s'accordait à merveille à l'expression du regard : pesante, enveloppante, mais d'une singulière fermeté lorsqu'une affirmation tendait un instant les muscles fatigués du visage.

1. Ces pratiques des Moïs, en pays jaraï, sont mentionnées par les historiens.

2. L'idéal humain qui s'exprime à travers Perken se retrouve dans d'autres romans de Malraux. A la question : « Qu'est-ce qu'un homme peut faire de mieux de sa vie, selon vous ? », un personnage porte-parole de l'auteur dans *L'Espoir* répond : « Transformer en conscience une expérience aussi vaste que possible. »

Maintenant, il était presque seul sur le pont. Il ne dormirait pas. Rêver ou lire? Feuilleter pour la centième fois l'*Inventaire*[1], jeter encore son imagination, comme sa tête contre un mur, contre ces capitales de poussière, de lianes et de tours à visages, écrasées sous les taches bleues des villes mortes? Et malgré la foi têtue qui l'animait, retrouver ces obstacles qui déchiraient sa rêverie, toujours au même endroit, avec une impérieuse constance?

Bab-el-Mandeb[2] : « Portes de la Mort ».

Pendant chaque entretien avec Perken, les allusions à un passé que Claude ignorait l'irritaient. La familiarité née de leur rencontre à Djibouti — s'il était entré dans cette maison, non dans une autre, c'est qu'il avait entrevu, sous le bras tendu d'une grande négresse drapée de rouge et de noir, la forme confuse de Perken — ne le délivrait pas de la curiosité angoissée qui le poussait vers lui comme s'il eût prophétiquement vu son propre destin : vers la lutte de celui qui n'a pas voulu vivre dans la communauté des hommes, lorsque l'âge commence à l'atteindre et qu'il est seul. Le vieil Arménien avec qui il marchait parfois le connaissait depuis longtemps, mais il parlait peu de lui, obéissant à une préméditation inspirée sans doute par la crainte; car, s'il était le familier de Perken, il n'était certainement pas son ami. Et, semblable au bruit constant des machines sous le bruit changeant des paroles, l'obsession de la brousse et des temples revenait, recouvrait tout, repre-

1. *L'Inventaire descriptif des monuments du Cambodge*, ouvrage de référence du héros (*cf.* p. 51) et de l'auteur (*cf.* « Les sources documentaires » p. 213).

2. Le nom de ce détroit qui fait communiquer la mer Rouge et l'océan Indien signifie en réalité « La Porte des larmes ». Il devient ici indice du dénouement.

nait sur Claude sa domination anxieuse. Dans le demi-sommeil, comme si l'Asie eût trouvé en cet homme une puissante complicité, elle ramenait jusqu'aux rêveries nées des Chroniques[1] : départs d'armées dans l'odeur du soir plein de cigales avec de molles colonnes de moustiques au-dessus de la poussière des chevaux, appels des caravanes au passage des gués tièdes, ambassades arrêtées par la baisse des eaux devant des bancs de poissons bleuis par le ciel criblé de papillons, vieux rois décomposés par la main des femmes ; et l'autre rêverie, indestructible : les temples, les dieux de pierre vernis par les mousses, une grenouille sur l'épaule et leur tête rongée, à terre, à côté d'eux…

La légende de Perken, maintenant, rôdait dans le bateau, passait de chaise longue à chaise longue comme l'angoisse ou l'attente de l'arrivée, comme l'ennui malveillant des traversées. Toujours informe. Plus de mystère imbécile que de faits, plus de gens empressés à confier, entendus, derrière le cornet de leur main : « Un type étonnant, vous savez, ét'honnant ! » que de gens renseignés. Il avait vécu parmi les indigènes et les avait dominés, dans des régions où beaucoup de ses prédécesseurs avaient été tués, sans doute après des débuts assez illégaux. C'était tout ce qu'on pouvait savoir. Et son efficacité tenait vraisemblablement, pensait Claude, à la persévérance dans l'énergie, à l'endurance, à des qualités militaires unies à un esprit assez large pour s'effor-

1. Malraux fait état des textes anciens se rapportant à l'empire khmer, extraits d'archives, dont des « annales royales » dans lesquelles les rois d'Angkor avaient pris soin de noter les principaux événements de leur règne, l'histoire de leurs guerres. Malheureusement ces chroniques disparurent en grande partie ; il n'existait plus pour la période des plus grands rois qu'une collection assez tardive de légendes et de traditions orales où, comme on le voit, « le fabuleux l'emporte de beaucoup sur l'histoire ».

cer de comprendre des êtres très différents de lui, plutôt qu'à telles aventures. Jamais Claude n'avait vu à ce point le besoin de romanesque de ces fonctionnaires qui voulaient en nourrir leurs rêves, besoin contrarié aussitôt par la crainte d'être dupes, d'admettre l'existence d'un monde différent du leur. Ces gens acceptaient tout de la légende de Mayrena — qui était mort — et peut-être de Perken lorsqu'il était loin ; ici, ils se défendaient contre son silence, méfiants, avides de se venger par quelque mépris d'une volonté de solitude parfois nettement exprimée. Claude s'était d'abord demandé pourquoi Perken avait accepté sa présence : il était le seul qui l'admirât, et le comprît peut-être, sans tenter de le juger. Il tentait de le comprendre mieux, mais ne pouvait que malaisément unir les anecdotes romanesques (les tubes à messages envoyés, pendant l'organisation du pays shan, au-delà du cercle des sauvages révoltés, dans les cadavres qui descendaient le fleuve — et jusqu'à des histoires de prestidigitation) à ce qu'il sentait d'essentiel en cet homme indifférent au plaisir de jouer sa biographie, détaché du besoin d'admirer ses actes, et mû par une volonté profonde dont Claude sentait souvent l'affleurement, sans parvenir à la saisir. Le capitaine, lui aussi, la sentait. « Tout aventurier est né d'un mythomane », disait-il à Claude ; mais l'action précise de Perken, son sens de l'organisation, son refus de parler de sa vie le surprenaient à l'extrême :

« Il me fait penser aux grands fonctionnaires de l'Intelligence Service que l'Angleterre emploie et désavoue à la fois ; mais il ne finira pas chef d'un bureau de contre-espionnage, à Londres : il a quelque chose en plus, il est allemand…

— Allemand ou danois ?

— Danois à cause de la rétrocession du Schleswig imposée par le traité de Versailles. Ça l'arrange : les cadres de l'armée et de la police siamoises sont danois. Oh! *heimatlos*[1], bien entendu!... Non, je ne crois pas qu'il finisse dans un bureau : voyez, il revient en Asie...

— Au service du gouvernement siamois?

— Oui et non, comme toujours... Il va rechercher un type resté en pays insoumis — resté, disparu, quelque chose comme ça... — et une chose plus surprenante, c'est que maintenant, il s'intéresse à l'argent... C'est nouveau... »

Un lien singulier s'était formé. Claude y pensait, dès que l'affaiblissement provisoire de l'obsession le rendait au désœuvrement : Perken était de la famille des seuls hommes auxquels son grand-père — qui l'avait élevé — se sentît lié. Lointaine parenté : même hostilité à l'égard des valeurs établies, même goût des actions des hommes lié à la conscience de leur vanité; mêmes refus, surtout. Les images que Claude entrevoyait de son avenir étaient partagées entre ses souvenirs et cette présence qui le requéraient comme une double menace, comme les deux affirmations parallèles d'une prophétie. Dans les conversations qu'il avait avec Perken il ne pouvait opposer à l'expérience, aux souvenirs de son interlocuteur qu'une lecture assez étendue, et il en était venu à parler de son grand-père comme Perken parlait de sa vie, pour ne pas opposer sans cesse des livres à des actes, pour bénéficier de l'intérêt singulier que Perken portait à cette existence; d'ailleurs, que Perken parlât de lui-même et il faisait surgir en Claude l'impériale blanche

1. Ce mot allemand signifie « sans patrie »; se dit de celui qui, ayant perdu sa nationalité d'origine, n'en a pas acquis une autre. Pendant assez longtemps, c'est le Siam que les aventuriers choisirent comme pays d'élection. Ils y étaient bien accueillis dans les cadres de l'armée et de la police par un souverain désireux de moderniser son royaume.

du grand-père[1], son dégoût du monde, les amers récits dc sa jeunesse. Sa jeunesse, cet homme fier à la fois de ses ancêtres corsaires perdus au fond de légendes et de son grand-père déchargeur de navires, fier de frapper du pied le pont de ses bateaux comme un paysan de flatter ses bêtes, l'avait vouée à édifier cette Maison Vannec par quoi il entendait durer. A trente-cinq ans, il s'était marié : douze jours après les noces, sa femme retournait chez ses parents. Son père ne voulut pas la voir ; sa mère avait conclu, avec un désespoir usé : « Va, ma petite fille, tout ça… du moment qu'on a des enfants… » Et elle avait retrouvé l'hôtel ancien qu'il avait acheté pour elle : porte cochère surmontée d'attributs maritimes, cour immense où séchaient des voiles. Elle avait décroché les portraits de ses parents, les avait remplacés par un petit crucifix et jetés sous le lit. Son mari n'avait rien dit ; pendant plusieurs jours, aucun d'eux ne parla. Puis la vie commune recommença. Héritiers d'une tradition de travail, haïssant tout romanesque, la rancœur qu'avait fait naître en eux ce premier malentendu ne se traduisit pas par des conflits : ils firent dans leur vie la part d'une hostilité tacite, comme, infirmes, ils eussent fait la part de leur infirmité. Chacun, malhabile à exprimer ses sentiments, pour prouver sa supériorité s'attacha au travail ; l'un et l'autre trouvèrent là un refuge et une passion sournoise. La présence des petits-enfants mêlait à leur vieille hostilité un lien qui la rendait plus douloureuse. Chaque bilan recelait de nouvelles forces

1. Ce personnage a pour modèle le grand-père de l'auteur, Alphonse Malraux : « … ce grand-père est le mien, transfiguré sans doute par le folklore familial, écrit l'auteur dans les *Antimémoires*. C'était un armateur dont j'ai pris des traits plus ressemblants pour le grand-père du héros de *La Voie royale* — et d'abord sa mort de vieux Viking […] plus fier de son brevet de maître tonnelier que de sa flotte, déjà presque toute perdue en mer, etc. » (*Miroir des limbes*, 1976, p. 11).

de haine : lorsque marins, mousses, ouvriers couchés ou partis, la nuit venue sur l'hôtel et sur les voiles brunes de la cour, quelque heure tardive sonnait, il n'était pas rare que l'un, penché à sa fenêtre, aperçût de la lumière à la fenêtre de l'autre, et, bien qu'exténué, s'attachât à quelque nouveau travail. Elle était phtisique, avec indifférence ; et chaque année il travaillait davantage, afin que sa lampe ne fût point éteinte avant celle de sa femme, qui restait allumée fort avant dans la nuit.

Un jour, il s'aperçut que le crucifix avait rejoint, sous le lit, les portraits des parents.

Déconcerté de souffrir, non seulement par la mort de ceux qu'il aimait, mais encore par celle d'une femme qu'il n'aimait pas, il supporta sa mort, lorsqu'elle arriva, avec une résignation écœurée. Il avait de l'estime pour sa femme ; il savait qu'elle avait été malheureuse. Ainsi allait la vie. Ce fut son dégoût, plus encore que cette mort, qui amena le déclin de la maison. Lorsque les compagnies d'assurances, après le naufrage de sa flotte presque entière, au large de Terre-Neuve, refusèrent de payer ; lorsqu'il eut passé tout un jour à distribuer aux veuves les piles de billets aussi nombreuses que ses marins morts, avec le plus profond dégoût de l'argent qu'il eût connu, il se sépara de ses entreprises ; et les procès commencèrent.

Procès sans nombre et sans fin. Saisi, à l'égard des vertus respectées, d'une hostilité qui depuis longtemps couvait, le vieillard accueillit dans la cour aux voiles des cirques auxquels la municipalité refusait l'hospitalité, et la vieille bonne ouvrit à deux battants, pour l'éléphant, la porte dont nulle voiture n'avait franchi le seuil depuis des années. Seul dans la vaste salle à manger, assis dans un fauteuil à torsades, buvant à petits coups un verre de son meilleur vin, il appelait ses souvenirs, un à un, en tournant les pages de ses livres de comptes…

Avec leur vingtième année, les enfants avaient quitté la maison de plus en plus silencieuse ; silencieuse jusqu'à ce que la guerre y amenât Claude. Son père tué, sa mère, qui avait quitté son mari depuis longtemps, vint voir l'enfant. De nouveau, elle vivait seule. Le vieux Vannec l'avait accueillie ; il avait si bien pris l'habitude de mépriser les actions des hommes, qu'il les enveloppait toutes dans une même indulgence haineuse. Le soir, il l'avait retenue, indigné à l'idée que, lui vivant, sa belle-fille pût habiter un hôtel, dans *sa* ville : il savait d'expérience que l'hospitalité n'empêche pas la rancune. Ils avaient causé ou plutôt, elle avait parlé : une femme abandonnée, obsédée par son âge jusqu'à la torture, certaine de sa déchéance, et qui considérait la vie avec une indifférence désespérée. Quelqu'un avec qui il pouvait vivre... Elle était ruinée, sinon pauvre. Il ne l'aimait guère, mais il subissait l'influence d'un étrange esprit de corps : elle était, comme lui, séparée de la communauté des hommes qui demande tant d'acceptations stupides ou sournoises ; la cousine, trop vieille maintenant, dirigeait mal la maison... Il lui avait conseillé de rester, et elle avait accepté.

Fardée pour la solitude, les portraits des anciens propriétaires et les attributs maritimes, fardée surtout pour les glaces contre lesquelles elle ne savait se défendre que par les rideaux croisés et les artifices du demi-jour, elle était morte d'un retour d'âge prématuré, comme si son angoisse eût été une prescience. Il avait accepté cette mort avec une approbation sinistre : « On ne change pas de religion à mon âge... » Que la destinée achevât ainsi le tissu de stupidité dont elle avait fait sa vie : c'était bien. Dès lors, il ne quitta plus guère le mutisme hostile dans lequel il se confinait que pour entretenir Claude. Poussé par un subtil égoïsme de vieillard, il avait presque toujours laissé à la vieille cousine, à la mère ou aux professeurs le soin de punir l'enfant, si bien qu'à Dunkerque (et même plus tard, lorsque, étudiant à Paris, l'adolescent connut ses oncles) sa pensée avait toujours semblé à Claude d'une singulière liberté. Dans ce vieil homme simple, grandi par les morts qui l'entouraient et par la lumière tragique dont la mer colore les vies qui lui ont été vouées, il y avait un Ecclésiaste inculte, mais qui ne craignait pas le Seigneur ; certaines des phrases par lesquelles il traduisait sa lourde expérience résonnaient en Claude comme le grondement assourdi de la petite porte de l'hôtel, solitaire maintenant dans la rue déserte et qui le soir le séparait du monde. Quand, après le dîner, le grand-père parlait, la pointe de sa barbe touchant sa poitrine, ses paroles méditées troublaient Claude, qui s'en défendait, comme des paroles venues, à travers le temps ou la mer, de contrées habitées par des hommes qui eussent connu, mieux que tous les autres, le poids, l'amertume et la force obscure de la vie. « Une mémoire, mon petit, c'est un sacré caveau de famille ! Vivre avec plus de morts que de vivants... Les nôtres, je les connais bien : en tous — en toi aussi — il y a la même nature. Et quand ils n'en veulent pas... tu sais qu'il y a des crabes qui nourrissent maternellement, sans s'en douter, les parasites qui les rongent ?... Etre un Vannec, ça veut dire quelque chose, en bien comme en mal... »

Quand Claude était parti poursuivre ses études à Paris, le vieillard avait pris l'habitude d'aller chaque jour au mur des marins perdus en mer ; il enviait leur mort, et accordait avec joie sa vieillesse et ce néant. Un jour qu'il avait voulu montrer à un jeune ouvrier trop lent comment, de son temps, on fendait le bois des proues, pris d'un étourdissement à l'instant qu'il manœuvrait la hache à deux tranchants, il s'était fendu le crâne. Et Claude, en face de Perken, retrouvait le goût, l'hostilité, le lien passionné qui l'avaient attaché à ce vieillard de soixante-seize ans décidé à ne pas oublier sa maîtrise passée et qui était mort ainsi, dans sa maison abandonnée, d'une mort de vieux Viking. Comment finirait-il, celui-là ? Il lui avait répondu un jour, devant l'Océan : « Je pense que votre grand-père était moins significatif que vous ne le croyez, mais que vous l'êtes, vous, bien davantage... » Comme si tous deux se fussent exprimés par paraboles, ils s'approchaient de plus en plus l'un de l'autre, cachés sous les souvenirs.

Brouillard rayé, la pluie enveloppait le bateau. Le long triangle du phare de Colombo ramait dans la nuit, au-dessus d'une ligne de points : les docks. Les passagers réunis sur le pont regardaient au-delà du bastingage ruisselant le tremblotement de toutes ces lumières ; à côté de Claude, un gros homme aidait l'Arménien — courtier en pierres qui venait acheter à Ceylan les saphirs qu'il vendrait à Chang-Haï —, à disposer ses valises. Perken, à quelque distance, causait avec le capitaine ; ainsi, de trois quarts, le caractère de son visage devenait moins masculin, lorsqu'il souriait surtout.

« Vous regardez sa bobine, au Chang, dit le gros homme. Comme ça, il a l'air d'un brave type...

— Comment l'appelez-vous ?

— C'est les Siamois qui l'appellent comme ça. L'éléphant, que ça veut dire, pas l'éléphant domestique, l'autre. Physiquement, ça lui va plutôt mal, mais moralement, ça lui va bien... »

Le coup de fouet du phare les éclaira tous. La tache du foyer, une seconde, devint éblouissante puis replongea dans la nuit, ne laissant dans les lumières du paquebot où les gouttes étincelaient en tourbillons qu'un voilier arabe de haut bord, sculpté de la proue à la poupe, immobile et désert, isolé au milieu des masses d'ombre.

Perken venait de faire deux pas en avant ; d'instinct, le gros homme baissa la voix. Claude sourit.

« Oh ! il ne me fait pas peur, bien sûr ! J'ai vingt-sept ans de colonie. Pensez ! Mais il… il m'intimide, si je peux dire. Pas vous ?

— C'est très bien, de faire ça au mépris, répondit l'Arménien — pas très haut — mais ça ne réussit pas toujours…

— Vous savez très bien le français… »

Il se vengeait d'une humiliation, sans doute ; avait-il attendu, pour le faire, d'être à l'instant de quitter le bateau ? Sa voix n'était pas ironique, mais pleine de rancune.

Perken s'écartait de nouveau.

« Je suis de Constantinople… et de Montmartre par mes vacances. Non, Monsieur, ça ne réussit pas toujours… »

Et se tournant vers Claude :

« Vous en aurez vite assez, comme les autres… Pour ce qu'il a fait, lui !… Mais s'il avait eu des connaissances techniques, je dis : "techniques", Monsieur, avec sa position, quand il tenait le pays pour le Siam, il aurait pu faire une fortune qui… enfin, je ne sais pas, moi, une fortune… »

Des deux bras agités il figurait un cercle, cachant un instant les lumières de la terre, plus nombreuses et plus proches maintenant, mais moins précises, comme si elles fussent devenues humides, spongieuses elles aussi.

« Songez que, dans les marchés siamois, à douze, quinze jours des villages insoumis, vous trouvez encore, si vous êtes malin, si vous savez faire le commerce avec eux, des rubis à des prix… ! Vous ne pouvez pas vous rendre compte, vous, parce que vous n'êtes pas de la partie… Ça vaut tout de même mieux que d'aller échanger des bijoux travaillés, mais en Fix, contre des bijoux mastocs, mais en or !… Même à vingt-trois ans ! (Cette affaire n'était même pas de lui, d'ailleurs : un blanc l'a faite avec le roi de Siam il y a une cinquantaine d'années) mais il voulait à toute force aller chez eux ; étonnant qu'ils ne l'aient pas zigouillé dès ce moment-là ! Il a toujours voulu faire le chef. Comme je vous le disais, il y a des jours où ça ne réussit pas ; ils le lui ont bien fait voir en Europe. Deux cent mille francs ! Trouver deux cent mille francs comme ça, pas si facile que de jouer les seigneurs ! (Pourtant, il n'y a pas à dire, il en impose aux indigènes…)

— Il a besoin d'argent ?

— Pas pour vivre, bien sûr, surtout là-haut… »

Les chaloupes accostaient, chargées d'Indiens qui tordaient en montant leurs turbans trempés, et de fruits. L'Arménien suivit l'envoyé d'un hôtel.

« Il a besoin d'argent… » se répétait Claude.

« Pour ça, le macaque a raison, reprit le gros homme ; c'est pas la vie qui peut coûter cher, là-haut !…

— Vous êtes forestier ?

— Chef de poste. »

L'obsession envahit Claude une fois de plus, comme une crise de fièvre : il pouvait interroger cet homme sur le terrible jeu auquel il allait lier sa vie.

« Avez-vous voyagé avec des charrettes ?

— Bien sûr, que j'ai travaillé avec des charrettes, vous pensez !

— Combien peuvent-elles réellement porter ?

— C'est petit, hein ! faut des objets lourds…

— Des pierres, par exemple…

— Ben, le poids réglementaire, la charge, quoi, c'est soixante kilos. »

Si ce poids n'était pas imposé seulement par une de ces lois coloniales qui n'existent qu'aux yeux des administrateurs, il fallait renoncer aux charrettes. L'abandon en forêt inconnue le suivait donc jusqu'ici. Faire porter à dos d'homme, pendant un mois, des blocs de deux cents kilos ? Impossible. Les éléphants ?

« Les éléphants, jeune homme, j'vais vous dire : c'est une question d'astuce. Les gens croient que l'éléphant est délicat. C'est pas vrai : l'éléphant n'est pas délicat. La difficulté, c'est que la bête veut ni brancards, ni sangles, ça la chatouille. Alors, qu'est-ce que vous faites ? Hein ?

— Moi, je vous écoute. »

Débonnaire, le gros homme posa la main sur le bras de Claude.

« Vous prenez un pneu d'auto, un pneu Michelin quelconque. Et puis, vous le passez au cou de l'éléphant, comme un rond de serviette. Bon. Et puis, vous attachez vos machins au pneu… Pas plus difficile que ça. C'est doux le caoutchouc, vous comprenez…

— Peut-on avoir des éléphants pour la région Extrême-nord d'Angkor ?

— Extrême-nord ?

— Oui.

Un instant de silence.

— Jusqu'au-delà des Dang Rek[1] ?

— Jusqu'à la Sé-Moun.

— Un blanc qui tente ça sans camarade est foutu.

— Peut-on avoir des éléphants ?

— Enfin, ça vous regarde… Des éléphants, ça m'étonnerait, primo. Les indigènes, ça ne leur dira rien d'aller se promener par là ; vous avez beaucoup de chances de tomber chez les Moïs insoumis, ce qui

1. La chaîne des Dang Rek est une falaise située à une centaine de kilomètres au nord du grand lac Tonlé Sap, près d'Angkor. Elle s'étend d'ouest en est, de la frontière siamoise à la chaîne annamitique. La Sé-Moun est une rivière qui coule au nord des Dang Rek et qui se jette dans le Mékong, au Laos.

n'est pas drôle ; et puis les indigènes des derniers villages sont impaludés jusqu'au gâtisme, les paupières bleues comme si on cognait dessus depuis huit jours, capables de rien. Ensuite, si vous vous faites piquer, ce qui ne manque jamais, vous pouvez dire que ça n'est pas par de bons moustiques : ah ! les vaches !... Et puis... enfin, pour aujourd'hui on peut s'en tenir là... Venez-vous faire un tour ? Voilà la chaloupe...

— Non. »

Il suivait sa pensée :

« S'il a besoin d'argent, ce n'est pas pour vivre, surtout là-haut... » Sans aucun doute. Pour quoi ? Bien plus que la menace de la forêt, cette légende malveillante, non sans grandeur, désagrégeait comme un ferment, comme cette nuit même, ce qui était pour Claude le réel. Chaque fois que la sirène de l'un des bateaux illuminés appelait les canots, longuement portée par l'air saturé de la rade, la ville se perdait davantage, achevait de se diluer dans la nuit de l'Inde. Ses dernières pensées d'Occident se noyaient dans cette atmosphère fantastique et provisoire ; d'un grand mouvement adouci, le vent qui apportait la fraîcheur à ses paupières donnait à Perken un relief qui n'était plus celui de la singularité, mais de l'adaptation. Comme tous ceux qui s'opposent au monde, Claude cherchait d'instinct ses semblables, et les voulait grands ; en l'occurrence, il ne craignait pas d'être dupe de lui-même. Si cet homme désirait de l'argent, ce n'était pas pour collectionner des tulipes. Sous les histoires qu'il avait contées, l'argent glissait pourtant comme, en cet instant, le crissement assourdi des cigales sous le silence... Le capitaine, lui aussi, avait dit : « Maintenant, il s'intéresse à l'argent... »

Et le chef de poste :

« Un blanc qui tente de passer seul par là est foutu… »

Un blanc qui tente de passer seul par là est foutu…

A cette heure, Perken était sans doute au bar.

II

Claude n'eut pas à le chercher ; assis devant l'une des tables de rotin que les serveurs avaient disposées sur le pont, il tenait d'une main une coupe posée sur la nappe, mais, le dos tourné, l'autre main appuyée au bastingage, il semblait regarder les lumières qui au fond de la rade tremblaient, toujours dans le vent.

Claude se sentit maladroit.

« Ma dernière escale ! » dit Perken en montrant les lumières de sa main libre.

C'était la gauche : éclairée d'un seul côté par le paquebot, elle apparut un instant sur le ciel maintenant lavé et plein d'étoiles, avec un puissant relief, chacune de ses entailles changée en courbe noire. Il se tourna tout à fait vers Claude, que surprit l'expression d'abattement de son visage ; la main disparut.

« Nous partons dans une heure… Au fait, que veut dire arriver, pour vous ?

— Agir au lieu de rêver. Et pour vous ? »

Perken fit un geste comme pour écarter la question. Il répondit néanmoins :

« Perdre du temps… »

Claude l'interrogeait du regard ; il ferma les yeux. « Ça s'annonce mal, pensa le jeune homme. Essayons autrement » :

« Vous remontez chez les insoumis ?
— Ce n'est pas ce que j'appelle perdre mon temps : au contraire. »

Claude cherchait toujours. Il répondit, presque au hasard :

« Au contraire ?
— Là-haut, j'ai trouvé presque tout.
— Sauf de l'argent, n'est-ce pas ? »

Perken le regarda avec attention, sans répondre.

« Et s'il y en avait, *là-haut* ?
— Allez le chercher !
— Peut-être... »

Claude hésita ; des chants graves, dans le lointain, montaient d'un temple, coupés par le klaxon de quelque auto perdue.

« Il y a dans la forêt — du Laos à la mer — pas mal de temples inconnus des Européens...
— Ah ! les dieux en or ? Je vous en prie !...
— Bas-reliefs et statues — pas en or du tout — ont une valeur considérable... »

Il hésita encore.

« Vous souhaitez trouver deux cent mille francs, n'est-ce pas ?
— C'est de l'Arménien que vous tenez cela ? Je n'en fais pas mystère, d'ailleurs. Il y a aussi les tombeaux des Pharaons, quoi encore ?
— Croyez-vous, monsieur Perken, que j'aille chercher les tombeaux des Pharaons au milieu des chats ? »

Perken parut réfléchir. Claude le regardait, découvrant que l'état civil, que les faits, sont aussi impuissants contre la puissance de certains hommes que contre le charme d'une femme. Les histoires de bijoux, la biographie de cet homme, en ce moment, n'existaient pas. Il était si réel, là, debout, que les actes de sa vie passée se séparaient de lui comme des rêves. Des faits, Claude ne retiendrait que ceux qui s'accordaient à ses sentiments… Allait-il enfin répondre ?

« Marchons, voulez-vous ? »

Ils firent quelques pas en silence. Perken regardait toujours les lumières jaunes du port, immobiles sous les étoiles plus claires. L'air, malgré la nuit, collait à la peau de Claude comme une main molle dès qu'il se taisait. Il tira une cigarette d'un paquet, mais irrité aussitôt par la nonchalance de son geste, il la jeta à la mer.

« J'ai rencontré des temples, dit enfin Perken… Tous ne sont pas ornés, d'abord.

— Non. Mais beaucoup.

— Cassirer[1], à Berlin, m'a payé cinq mille marks-or les deux bouddhas que m'avait donnés Damrong[2]… Mais chercher des monuments ! Autant chercher des trésors, comme les indigènes…

— Si vous étiez certain que cinquante trésors ont été enfouis le long d'un fleuve, entre deux lieux précis, à six cents mètres l'un de l'autre, par exemple — les chercheriez-vous ?

— Le fleuve manque.

— Non. Voulez-vous aller chercher les trésors ?

— Pour vous ?

— Avec moi, à égalité.

— Le fleuve ? »

1. Ce nom a pu être suggéré à l'auteur par Ernst Cassirer, philosophe allemand, d'une très grande culture, intéressé par l'univers des formes esthétiques, par les religions et les mythologies (*La Philosophie des formes symboliques*, éditions B. Cassirer, Berlin, 1923-1929, 3 vol.).

2. Le prince Damrong Rajanubhat était un des quarante fils de Rama IV et le frère du roi du Siam. Archéologue avisé et président du Service archéologique siamois, il avait aidé Lunet de Lajonquière à établir *L'Inventaire des monuments khmers au Siam.* Clara Malraux fait allusion, dans ses *Mémoires*, à de prétendues tractations autour d'un projet d'achat de la collection de ce prince.

Le demi-sourire de Perken irritait Claude à l'extrême.
« Venez voir. »

Dans le couloir qui les conduisait à la cabine de Claude, Perken posa sa main sur l'épaule du jeune homme.

« Vous m'avez insinué hier que vous étiez en train de jouer votre dernier enjeu. C'est à ce dont vous venez de parler que vous faisiez allusion ?

— Oui. »

Claude croyait trouver la carte étendue sur sa couchette, mais le garçon l'avait pliée. Il l'ouvrit.

« Voici les lacs. Tous ces petits points rouges accumulés autour : les temples. Ces taches éparses : d'autres temples.

— Ces taches bleues ?

— Les villes mortes du Cambodge. Explorées déjà. A mon avis il y en a d'autres, mais passons. Je reprends : vous voyez que les points rouges des temples sont nombreux à l'origine de ma ligne noire, et suivent sa direction.

— C'est ?

— La Voie royale, la route qui reliait Angkor et les lacs au bassin de la Ménam. Aussi importante jadis que la route du Rhône au Rhin au moyen âge.

— Les temples suivent cette ligne jusqu'à…

— Le patelin n'a pas d'importance : jusqu'à la limite des régions *réellement* explorées. Je dis qu'il suffit de suivre, à la boussole, le trajet de l'ancienne Voie pour retrouver des temples : si l'Europe était recouverte par la brousse, il serait absurde de penser qu'en allant de Marseille à Cologne par le Rhône et le Rhin on ne trouverait pas de ruines d'églises… Et n'oubliez pas que, pour la région explorée, ce que j'avance est vérifiable — et vérifié. Les récits des voyageurs anciens le disent…

Il s'arrêta pour répondre au regard de Perken :

« (Je ne tombe pas du ciel, mais des Langues Orientales : le sanscrit n'est pas toujours inutile.) Les administrateurs qui se sont aventurés par là, à quelques dizaines de kilomètres de la région topographie, le confirment.

— Vous croyez être le premier à interpréter ainsi cette carte ?

— Le service géographique ne s'occupe guère d'archéologie.

— L'Institut français ? »

Claude ouvrit *L'Inventaire* à une page marquée ; diverses phrases étaient soulignées : *Il reste à relever les monuments qui se trouvaient en dehors de nos itinéraires... Nous ne prétendons certes pas que nos listes soient définitivement closes*[1]...

« C'est le compte rendu de la dernière grande mission archéologique. »

Perken regardait la date.

« 1908 ?

— Rien d'important entre 1908 et la guerre. Depuis, des explorations de détail. Et tout cela est du premier travail. Des recoupements me permettent d'être assuré que la longueur que l'on donne ici aux unités de mesure des voyageurs anciens doit être rectifiée : il faudra contrôler, le long de la Voie, plusieurs affirmations que l'on traite de légendes, et qui sont pleines de promesses... Et nous ne parlons que du Cambodge : vous savez qu'au Siam, on n'a rien fait. »

Une réponse, au lieu de ce silence !

« A quoi songez-vous ?

— La boussole peut donner une indication générale ; vous comptez ensuite sur les indications des indigènes ?

— De ceux dont les villages sont peu éloignés de l'ancienne Voie, oui.

1. Citation de *L'Inventaire*, de Lunet de Lajonquière.

— Peut-être… Au Siam surtout, je sais assez bien le siamois pour qu'ils parlent. J'ai moi-même rencontré de ces temples… Ce sont d'anciens temples brahmaniques, n'est-ce pas ?

— Oui.

— Donc, aucun fanatisme, nous serions toujours parmi les bouddhistes… Le projet n'est peut-être pas si fantaisiste… Vous connaissez bien cet art ?

— Je n'étudie plus que lui depuis un bon moment.

— Depuis… Quel âge avez-vous, au fait ?

— Vingt-six ans.

— Ah…

— J'ai l'air plus jeune, oui, je sais.

— Ce n'était pas de l'étonnement, c'était… de l'envie… »

Le ton n'était pas ironique.

« L'administration française n'aime guère…

— Je suis chargé de mission. »

L'étonnement empêcha Perken de répondre aussitôt.

« Je comprends de mieux en mieux…

— Oh ! mission gratuite ! Nos ministères n'en sont pas avares. »

Claude revoyait le chef de bureau courtois et pompeux, les couloirs déserts où des rayons de soleil s'écrasaient sur des cartes ingénues où des bourgades — Vien-Tiane, Tombouctou, Djibouti — régnaient au centre de grands cercles roses, semblables à des capitales ; l'ameublement de comédie, grenat et or…

« Rapports avec l'Institut d'Hanoï[1] et bons de réquisition, je vois, reprit Perken. Peu de chose, mais tout de même… »

Il regardait de nouveau la carte.

« Transport : charrettes.

1. Il s'agit de l'Ecole française d'Extrême-Orient.

— Ah ! dites-moi : que faut-il penser des soixante kilos réglementaires ?

— Rien. Aucune importance. De cinquante à trois cents kilos suivant… suivant tout ce que vous rencontrerez. Donc, charrettes. Si, en un mois de recherches, on n'avait rien trouvé…

— Invraisemblable. Vous savez bien que les Dang Rek, en fait, sont inexplorés…

— Moins que vous ne le croyez.

— … et que les indigènes connaissent les temples. Comment, moins que je ne le crois ?

— Nous y reviendrons… »

Il se tut un instant.

« L'administration française, je la connais. Vous n'êtes pas des siens. Elle créera des obstacles, mais ce danger n'est pas grand… L'autre l'est davantage, même à deux.

— L'autre ?

— Celui d'y rester.

— Les Moïs[1] ?

— Eux, la forêt, la fièvre des bois.

— C'est ce que je pensais.

1. Les Moïs : le mot veut dire « sauvage ». Ces peuplades vivaient retranchées dans les montagnes de la péninsule à l'ouest de l'Annam, région peu explorée qui avait su résister aux efforts de conquête des civilisations installées sur la côte et dans le bassin du Mékong (*cf.* note de la p. 27). Parmi les tribus moï, on en dénombre trois qui figurent dans le roman : les Sedangs habitant la chaîne annamite tout à l'ouest de Quang Ngai, mentionnés comme la peuplade dont Mayrena devint roi (note 1, p. 31) — leur principale occupation était la guerre, les Jaraïs occupant un territoire un peu au sud-ouest de celui des Sedangs contre lesquels ils sont souvent en guerre — méfiants et hostiles, ce sont eux qui ont infligé à Perken l'épreuve des mèches (p. 33), et qui assassinèrent Prosper Odend'hal ; enfin les Stiengs, dans le Sud, qui vont jouer le plus grand rôle dans la seconde moitié du roman.

— N'en parlons donc plus : moi, j'ai l'habitude… Parlons d'argent.

— C'est bien simple : un petit bas-relief, une statue quelconque, valent une trentaine de mille francs.

— Francs-or ?

— Vous êtes trop gourmand.

— Tant pis. Il m'en faut dix au moins. Dix, pour vous : vingt.

— Vingt pierres.

— Evidemment, ce n'est pas le diable…

— Et d'ailleurs, un seul bas-relief, s'il est beau, une danseuse par exemple, vaut au moins deux cent mille francs.

— Il est composé de combien de pierres ?

— Trois, quatre…

— Et vous êtes certain de les vendre ?

— Certain. Je connais les plus grands spécialistes de Londres et de Paris. Et il est facile d'organiser une vente publique.

— Facile, mais long ?

— Rien ne vous empêche de vendre directement ; j'entends, sans vente publique. Ces objets sont de toute rareté : la grande hausse des objets asiatiques date de la fin de la guerre, et on n'a rien découvert depuis.

— Autre chose : supposons que nous trouvions les temples… »

(« Nous », murmura Claude.)

« … Comment comptez-vous dégager les pierres sculptées ?

— Ce sera le plus difficile. J'ai pensé…

— De gros blocs, si je me souviens bien ?

— Attention : les temples khmers sont construits sans ciment ni fondations. Des châteaux de dominos.

— Chaque domino, voyons : cinquante centimètres au carré de section, un mètre de long… Sept cent cinquante kilos à peu près. Légers objets !…

— J'ai pensé aux scies de long, pour n'emporter que la face sculptée, sur peu d'épaisseur : impossible. Les scies à métaux, — plus rapides, — j'en ai. Il faut surtout compter sur le temps qui a fichu presque tout par terre, sur le figuier des ruines et les incendiaires siamois qui ont accompli assez bien le même travail.

— J'ai rencontré plus d'éboulis que de temples... Et les chercheurs de trésors, eux aussi, ont passé par là... Jusqu'ici, je ne pensais guère aux temples qu'en fonction d'eux... »

Perken avait abandonné la carte ; il regardait l'ampoule ; Claude se demandait s'il réfléchissait, car ce regard perdu était presque d'un rêveur. « Que connais-je de cet homme ? » pensait-il une fois de plus, frappé par ce visage d'absent en relief dur sur le lavabo. Les grands coups lents des machines battaient le silence, et chacun pesait sur cet adversaire pour lui arracher une acceptation.

« Alors ? »

Perken, repoussant la carte, s'assit sur la couchette.

« Laissons les objections. Ce projet se défend, toutes réflexions faites — il est vrai que je ne réfléchissais pas, je rêvais au moment où j'aurais l'argent... — Je ne prétends pas tenter les choses qui doivent réussir d'elles-mêmes ; celles-là, je les manque. Pourtant, comprenez bien que si j'accepte, c'est avant tout parce que je dois aller chez les Moïs.

— Où ?

— Plus au nord, mais l'un n'empêche pas l'autre. Je ne saurai exactement où je vais qu'à Bangkok : je vais chercher — rechercher — un homme pour qui j'avais une grande sympathie et une grande méfiance... On me remettra à Bangkok l'enquête des miliciens indigènes sur sa disparition, comme ils disent. Je crois...

— Donc, vous acceptez ?

— Oui… qu'il est parti dans la région dont je me suis occupé. S'il est mort, je saurai à quoi m'en tenir. Sinon…

— Sinon ?

— Je ne tiens pas à sa présence… Il gâchera tout… »

Le passage de l'un des sujets à l'autre était trop rapide : à peine Claude pouvait-il écouter. Sitôt après l'acceptation, cet homme n'existait pas. Il suivit le regard de Perken : c'était son image, à lui, Claude, que ce regard fixait, mais dans la glace. Son propre front, son menton avançant, il les vit, une seconde, avec les yeux d'un autre. Et c'était à lui que cet autre pensait :

« Ne répondez que s'il vous plaît de répondre… »

Le regard devint plus précis.

« … Pourquoi allez-vous tenter cela ?

— Je pourrais vous répondre : parce que je n'ai presque plus d'argent, ce qui est vrai.

— Il y a d'autres manières d'en gagner. Et pourquoi en voulez-vous ? De toute évidence, ce n'est pas pour en jouir.

(« Et vous ? » pensa Claude.) « Etre pauvre empêche de choisir ses ennemis, répondit-il. Je me méfie de la petite monnaie de la révolte… »

Perken le regardait toujours, de ce regard à la fois appuyé et perdu, plein de souvenirs, qui faisait songer Claude à celui des prêtres intelligents ; l'expression en devint plus dure :

« On ne fait jamais rien de sa vie.

— Mais elle fait quelque chose de nous.

— Pas toujours… Qu'attendez-vous de la vôtre ? »

Claude ne répondit pas tout d'abord. Le passé de cet homme s'était si bien transformé en expérience, en pensée à peine suggérée, en regard, que sa biographie en perdait toute importance. Il ne restait entre eux

— pour les attacher — que ce que les êtres ont de plus profond.

« Je pense que je sais surtout ce que je n'en attends pas...

— Chaque fois que vous avez dû opter, il se...

— Ce n'est pas moi qui opte : c'est ce qui résiste.

— Mais à quoi ? »

Il s'était assez souvent posé lui-même cette question pour qu'il lui pût répondre aussitôt :

« A la conscience de la mort[1].

— La vraie mort, c'est la déchéance. »

Perken maintenant regardait dans la glace son propre visage.

« Vieillir, c'est tellement plus grave ! — Accepter son destin, sa fonction, la niche à chien élevée sur sa vie unique... On ne sait pas ce qu'est la mort quand on est jeune... »

Et tout à coup, Claude découvrit ce qui le liait à cet homme qui l'avait accepté sans qu'il comprît bien pourquoi : l'obsession de la mort.

Perken prenait la carte.

« Je vous la rapporterai demain. »

Il serra la main de Claude et sortit.

L'atmosphère de la cabine retomba sur Claude comme la porte d'un cachot. La question de Perken demeurait avec lui, tel un autre prisonnier. Et son objection. Non, il n'y avait pas tant de manières de gagner sa liberté ! Il avait réfléchi naguère, sans avoir la naïveté d'en être surpris, aux conditions d'une civilisation qui fait à l'esprit une part telle que ceux qui s'en nourrissent, gavés sans doute, sont doucement conduits à

1. Cette réflexion sur la « conscience de la mort » et « le sens de la vie » constitue le noyau central du roman et de toute l'œuvre de Malraux.

manger à prix réduits. Alors ? Aucune envie de vendre des autos, des valeurs ou des discours, comme ceux de ses camarades dont les cheveux collés signifiaient la distinction ; ni de construire des ponts, comme ceux dont les cheveux mal coupés signifiaient la science. Pourquoi travaillaient-ils, eux ? Pour gagner en considération. Il haïssait cette considération qu'ils recherchaient. La soumission à l'ordre de l'homme sans enfants et sans dieu est la plus profonde des soumissions à la mort ; donc, chercher ses armes où ne les cherchent pas les autres : ce que doit exiger d'abord de lui-même celui qui se sait séparé, c'est le courage. Que faire du cadavre des idées qui dominaient la conduite des hommes lorsqu'ils croyaient leur existence *utile* à quelque salut, que faire des paroles de ceux qui veulent soumettre leur vie à un modèle, ces autres cadavres ? L'absence de finalité donnée à la vie était devenue une condition de l'action. A d'autres de confondre l'abandon au hasard et cette harcelante préméditation de l'inconnu. Arracher ses propres images au monde stagnant qui les possède… « Ce qu'ils appellent l'aventure, pensait-il, n'est pas une fuite, c'est une chasse : l'ordre du monde ne se détruit pas au bénéfice du hasard, mais de la volonté d'en profiter. » Ceux pour qui l'aventure n'est que la nourriture des rêves, il les connaissait ; (joue : tu pourras rêver) ; l'élément suscitateur de tous les moyens de posséder l'espoir, il le connaissait aussi. Pauvretés. L'austère domination dont il venait de parler à Perken, celle de la mort, se répercutait en lui avec le battement du sang à ses tempes, aussi impérieuse que le besoin sexuel. Etre tué, disparaître, peu lui importait : il ne tenait guère à lui-même, et il aurait ainsi trouvé son combat, à défaut de victoire. Mais accepter vivant la vanité de son existence, comme un cancer, vivre avec cette tiédeur de mort dans la main… (D'où montait, sinon d'elle, cette exigence de choses éternelles, si lourdement imprégnée de son odeur de chair?) Qu'était ce besoin d'inconnu, cette destruction provisoire des rapports de prisonnier à maître, que ceux qui ne la connaissent pas nomment aventure, sinon sa défense contre elle? Défense d'aveugle, qui voulait la conquérir pour en faire un enjeu...

Posséder plus que lui-même, échapper à la vie de poussière des hommes qu'il voyait chaque jour...

*

* *

A Singapour, Perken avait quitté le bateau pour monter à Bangkok. L'accord était conclu. Claude le rejoindrait à Phnom-Penh, après avoir fait viser à Saigon sa lettre de mission et rendu visite à l'Institut français. Ses premiers moyens d'action allaient dépendre de son accord avec le directeur de cet Institut, hostile aux initiatives comme la sienne.

Un matin — le temps était de nouveau mauvais — il vit, à travers le hublot de sa cabine, des passagers, l'index tendu vers un spectacle. Il se hâta de monter sur le pont. Par une déchirure des nuages accumulés, le soleil projetait une lumière blême qui éclairait, au ras de l'eau décomposée, la côte de Sumatra. Il regarda à l'aide de la jumelle les monstrueuses frondaisons qui dévalaient du sommet des monts jusqu'à la grève, hérissées çà et là de palmes, et noires dans l'étendue sans couleur. De loin en loin, au-dessus des crêtes, brillaient des feux pâles, d'où montaient lourdement des fumées; plus bas des fougères arborescentes se détachaient en clair sur des masses d'ombre. Il ne pouvait délivrer son regard des taches dans lesquelles se perdaient les plantes. Se frayer un chemin à travers une semblable végétation ? D'autres l'avaient fait, il pourrait donc le faire. A cette affirmation inquiète, le ciel bas et l'inextricable tissu des feuilles criblées d'insectes opposaient leur affirmation silencieuse…

Il regagna sa cabine. Son dessein, tant qu'il l'avait supporté seul, l'avait retranché du monde, lié à un univers incommunicable comme celui de l'aveugle ou du fou, un univers où la forêt et les monuments s'animaient peu à peu lorsque son attention se relâchait, hostiles comme de grands animaux… La présence de Perken avait tout ramené à l'humain ; mais il sombrait de nouveau, lucide et tendu, dans son intoxication d'obsédé. Il rouvrait ses livres aux pages marquées : *Les motifs d'ornementation sont très ruinés par l'humidité constante du sous-bois et le fouettement des grandes pluies... La voûte est totalement effondrée... Sans doute, trouverait-on des monuments dans cette région maintenant à peu près déserte, couverte de forêts-clairières à travers lesquelles errent des troupeaux d'éléphants et de buffles sauvages... Les blocs de grès dont les voûtes étaient formées remplissent l'intérieur des galeries d'un chaos inextricable ; cet état de délabrement, particulièrement lamentable, paraît dû à l'emploi du bois dans la construction... De grands arbres poussés çà et là sur ces amas, dépassent maintenant le couronnement des murs, leurs racines noueuses les enferment dans un réseau à mailles serrées... Le pays est presque désert*[1]… A l'aide de quoi lutterait-il ? Quand s'accentuait le bruit des machines il essayait de se délivrer des deux mots : « L'Institut français, l'Institut français, l'Institut français » comme d'une scie. « Je connais ces gens-là, avait dit Perken, vous n'êtes pas des leurs. » Evidence. Il prendrait garde. Il savait pourtant de reste que les hommes devinent ceux qui refusent leurs accep-

1. Malraux résume ici plusieurs passages de *L'Inventaire.*

tations, que l'athée fait beaucoup plus scandale depuis qu'il n'y a plus de foi. Son grand-père n'avait vécu que pour le lui enseigner. Ces gens possédaient les deux tiers de ses armes…

*
* *

Se libérer de cette vie livrée à l'espoir et aux songes, échapper à ce paquebot passif !

III

Devant une fenêtre dont le carré de lumière se plaquait sur des palmes et un mur verdi jusqu'au bleu par les pluies tropicales, Albert Ramèges, directeur de l'Institut français[1], lissait de la main sa barbe châtain, en regardant entrer monsieur Vannec.

« Le Ministère des Colonies, Monsieur, nous avait informés de votre départ ; j'ai donc appris avec plaisir, hier, votre arrivée, par la communication téléphonique que vous m'avez adressée. Il va sans dire que dans la mesure où nous pouvons vous être utiles, nous sommes à votre disposition : vous trouverez ici, chez tous nos collaborateurs, si vous avez besoin de… conseils, la bienveillance la plus cordiale. Nous mettrons cela au point tout à l'heure. »

1. Pour cette scène, l'auteur s'inspire de sa propre rencontre avec Léonard Aurousseau, le directeur intérimaire de l'Institut d'Hanoi. Celui-ci venait de subir un échec dans ses recherches au moment de la visite de Malraux.

Il quitta son bureau et vint s'asseoir près de Claude. « La bienveillance commence », pensa celui-ci ; le ton de la voix du directeur devint plus familier.

« Je suis content de vous voir ici, cher Monsieur. J'ai lu avec grande attention les intéressantes communications relatives aux arts asiatiques que vous avez publiées l'année dernière. Et aussi — en apprenant votre arrivée, je l'avoue — votre théorie. Je dois dire que j'ai été plus attiré que convaincu par les considérations que vous avez exposées ; mais, en vérité, j'ai été intéressé. L'esprit de votre génération est curieux…

— Je posais ces idées pour… (il pensa : "déblayer", et hésita) pour aller en toute liberté vers une autre qui m'intéresse davantage… »

Ramèges l'interrogeait du regard ; Claude sentait vivement son désir de ne pas se confondre avec sa fonction, de se montrer supérieur à elle, de le recevoir comme un invité — l'ennui aidant, sans doute, et peut-être quelque esprit de corps. Claude connaissait de reste l'hostilité comique qui oppose à tous les autres les archéologues formés par la philologie[1]. Ramèges rêvait de l'Institut, impossible de parler immédiatcment de sa mission : son interlocuteur en eût été aussi sûrement blessé que d'une injure.

« J'en viens donc à dire que la valeur essentielle accordée à l'artiste nous masque l'un des pôles de la vie de l'œuvre d'art : l'état de la civilisation qui la considère. On dirait qu'en art le temps n'existe pas. Ce qui m'intéresse, comprenez-vous, c'est la décomposition, la transformation de ces œuvres, leur vie la plus

1. L'Ecole française d'Extrême-Orient a été fondée pour entreprendre de façon cohérente l'exploitation archéologique *et philologique* de la péninsule indochinoise, comme le précise le sous-titre de son *Bulletin*.

profonde, qui est faite de la mort des hommes. Toute œuvre d'art, en somme, tend à devenir mythe. »

Il sentait qu'il résumait trop sa pensée, obscure à force de concision ; gêné par le désir d'en venir à l'objet de sa visite, mais aussi de se concilier son interlocuteur intrigué. Ramèges réfléchissait. Le son des lourdes gouttes qui dehors tombaient une à une pénétra dans la pièce.

« Quoi qu'il en soit, c'est curieux…

— Les musées sont pour moi des lieux où les œuvres du passé, devenues mythes, dorment, — vivent d'une vie historique — en attendant que les artistes les rappellent à une existence réelle. Et si elles me touchent directement, c'est parce que l'artiste a ce pouvoir de résurrection… En profondeur, toute civilisation est impénétrable pour une autre. Mais les objets restent, et nous sommes aveugles devant eux jusqu'à ce que nos mythes s'accordent à eux… »

Ramèges continuait à sourire, curieux et attentif.

« Il me prend pour un amateur de théories, pensa Claude. Il est blafard, l'abcès au foie, sans doute ; il me comprendrait tellement mieux s'il sentait que ce qui m'attache là c'est l'acharnement des hommes à se défendre contre leur mort par cette éternité cahotée, si je reliais ce que je lui dis à son abcès ! Passons… » Il sourit à son tour, et ce sourire que Ramèges attribua au désir de lui être agréable établit entre eux une certaine cordialité.

« Au fond, dit enfin le directeur, vous n'avez pas confiance, voilà la vérité, vous n'avez pas confiance… Oh ! garder sa confiance n'est pas toujours facile, je le sais bien… Voyez ce morceau de poterie, là, sous ce livre, oui. Il nous est envoyé de Tien-Tsin. Les dessins sont grecs, archaïques sans aucun doute : VIe siècle au moins avant le Christ. Et le dragon chinois figure sur le bouclier ! Que de choses à reprendre, dans les idées que nous avions des rapports entre l'Europe et l'Asie avant l'ère chrétienne!... Que voulez-vous? Lorsque la science nous montre que nous nous sommes trompés, il faut recommencer... »

Claude se sentait plus près de Ramèges maintenant, en raison de la tristesse avec laquelle il parlait. Ces découvertes l'avaient-elles obligé à renoncer à un travail depuis longtemps entrepris? Par contenance, Claude regardait d'autres photos, les unes de statues khmères, les autres de statues chames, séparées en deux séries. Pour rompre le silence qui s'établissait, il demanda, indiquant les deux paquets :

« Que préférez-vous?

— Que voulez-vous que je préfère? Je fais de l'archéologie... »

« Je suis revenu de ces goûts, disait le ton, de cette naïveté de la jeunesse... » Il devina un recul et s'en irrita légèrement. Quand il ne questionnait pas, il entendait mener le jeu.

« Venons à vos projets, Monsieur. Vous avez l'intention, si je ne m'abuse, de suivre la piste qui marque le parcours de l'ancienne route royale khmère... »

Claude acquiesça de la tête.

« Je dois vous dire tout d'abord que cette piste, cette piste même — je ne parle pas de la route — est invisible sur des espaces considérables. A l'approche de la chaîne des Dang Rek, elle se perd complètement.

— Je la retrouverai, répondit Claude en souriant.

— Je dois l'espérer... Il est de mon devoir — et de ma fonction — de vous mettre en garde contre les dangers que vous rencontrerez. Vous n'êtes pas sans savoir que deux de nos chargés de missions, Henri Maître[1] et

1. Arrivé en Indochine en 1904, comme fonctionnaire, cet autodidacte doué d'une intelligence et d'une énergie peu communes, alliées à des dons de chercheur et à un réel talent d'écrivain, mena à bien plusieurs missions dans des régions inexplorées de la péninsule, en particulier chez les Stiengs. Il constitua la première docu-

Odend'hal[1], ont été assassinés. Et cependant, nos malheureux amis connaissaient bien ce pays.

— Je ne vous étonnerai certainement pas, Monsieur, en vous disant que je ne suis pas à la recherche du confortable et de la tranquillité. Me permettez-vous de vous demander quelle aide vous pouvez mettre à ma disposition ?

— Vous recevrez des bons de réquisitions grâce auxquels vous pourrez disposer par l'intermédiaire du délégué de la Résidence, comme il convient, des charrettes cambodgiennes nécessaires au transport de vos bagages et de leurs conducteurs. Heureusement, tout ce que transporte une expédition comme la vôtre est relativement léger…

— La pierre est légère ?

— Pour ne pas avoir à déplorer le retour d'abus regrettables qui se sont produits l'année dernière, il a été décidé que les objets, quels qu'ils soient, resteraient *in situ.*

— Pardon ?

— *In situ* : « en place ». Ils feront l'objet d'un rapport. Après examen de ce rapport, le chef de notre service archéologique, s'il y a lieu, se transportera…

— Après ce que vous m'avez dit, il me semble peu probable que le chef de votre service archéologique se risque dans les régions que je vais traverser…

— Le cas est particulier ; nous y songerons.

— Et s'y risquerait-il, d'ailleurs, que j'aimerais à comprendre pourquoi je devrais assumer à son profit le rôle de prospecteur.

— Vous préférez l'assumer au vôtre ? demanda doucement Ramèges.

mentation scientifique les concernant. Il fonda un certain nombre de postes administratifs dans la forêt, faisant accepter l'autorité française aux tribus locales. Mais ses activités contrarièrent les chefs indigènes ; il fut assassiné en 1914.

1. Voir note de la p. 30.

— En vingt ans, vos services n'ont pas exploré cette région[1]. Sans doute avaient-ils mieux à faire ; mais je sais ce que je risque, et je souhaite le risquer sans ordres.

— Mais non sans aide ? »

Tous deux parlaient lentement, sans élever la voix. Claude se défendait contre la rage qui l'envahissait : à quel titre ce fonctionnaire s'arrogeait-il des droits sur des objets que lui, Claude, pouvait découvrir, à la recherche desquels il était précisément venu, auxquels était accroché son dernier espoir ?

« Sans autre aide que celle qui m'a été promise. Avec moins d'aide que vous n'en donnez à un officier géographe pour traverser une région soumise.

— Vous n'attendez pas de l'administration, Monsieur, qu'elle vous offre une escorte militaire ?

— Lui ai-je demandé autre chose que ce que vous m'avez proposé vous-même : le moyen de réquisitionner (puisqu'il n'y a pas ici d'autre mode d'action) des conducteurs de charrettes ? »

Ramèges le regarda en silence. Claude s'attendait à entendre, dehors, le bruit de l'eau, après un instant de silence confus ; les gouttes ne tombaient plus.

« De deux choses l'une, reprit-il : ou je ne reviendrai pas, et n'en parlons plus ; ou je reviendrai, et quel que soit mon profit, il sera dérisoire en comparaison du résultat que j'apporterai.

— A qui ?

— Je ne vous ferai pas l'injure, Monsieur, de croire que vous êtes résolu à n'admettre aucune contribution à l'histoire de l'art qui ne vienne de l'Institut que vous dirigez ?

1. Là, Claude s'écarte de la réalité : il y avait à peine sept ans que Parmentier avait reconnu le temple de Banteaï-Srey et commencé à le dégager.

— La valeur de ces contributions ne dépend que trop, hélas ! de la formation technique, de l'expérience, des habitudes de discipline de ceux qui les apportent…

— L'esprit de discipline ne mène pas en pays insoumis.

— Mais l'esprit qui mène en pays insoumis… »

Ramèges, laissant là sa phrase, se leva.

« Je vous dois en effet, Monsieur, une aide déterminée. Comptez que vous la recevrez de moi ; quant au reste…

— Quant au reste… »

Claude fit un geste qui signifiait, aussi discrètement que possible : « Je m'en charge. »

« Quand voulez-vous partir ?

— Au plus tôt.

— Vous recevrez donc vos documents demain soir. »

Le directeur le reconduisit jusqu'à la porte, avec une grande courtoisie.

*
* *

« Récapitulons. » Claude traversait la cour et regardait, comme pour échapper à sa propre injonction, des fragments de dieux sur lesquels couraient les lézards du soir.

« Récapitulons. »

Il n'y parvenait pas. Il s'engagea sur le boulevard désert. Le mot : colonie, le hantait avec la sonorité plaintive qu'il a dans les romances des Iles. Des chats passaient, clandestins, le long des fossés… « Ce noble barbu ne veut pas que l'on chasse sur ses terres… » Il commençait pourtant à comprendre que Ramèges n'était pas poussé par l'intérêt comme il l'avait cru d'abord. Il défendait l'ordre moins peut-être contre un projet que contre une nature à ce point opposée à la sienne… Et il défendait le prestige de son Institut. « De son point de vue même, il devrait essayer de tirer de moi ce que je puis lui apporter, puisque de toute évidence scs collaborateurs actuels ne risqueront pas leur peau par là. Il agit comme un administrateur qui constitue des réserves : dans trente ans peut-être, etc. Dans trente ans, son Institut sera-t-il encore là, et les Français en Indochine[1] ? Il pense même sans doute que si ses chargés de missions sont morts, c'est pour que des collègues continuent leur œuvre, bien que ni l'un ni l'autre ne soient morts pour son Institut... Si, à travers lui-même, il défend une collectivité, il va devenir hargneux ; s'il croit défendre des morts, il va devenir enragé : il faut essayer de prévoir ce qu'il va inventer... »

IV

Sur la vitre de la vedette qui allait les conduire à terre, Claude retrouvait le profil de Perken, tel qu'il l'avait vu souvent, pendant les repas, sur le hublot du paquebot ; en arrière, amarré, le bateau blanc qui les avait amenés de Phnom-Penh dans la nuit. La région où l'ancien camarade de Perken avait disparu n'était pas éloignée de la Voie royale, qui marque presque la limite de la zone de dissidence ; et les renseignements prudemment obtenus à Bangkok avaient confirmé la valeur du projet de Claude.

1. L'auteur, qui a vécu au cœur des problèmes de la colonisation en 1925 à Saigon, durant son expérience de rédacteur en chef du journal de rapprochement franco-annamite, *L'Indochine*, devenu *L'Indochine enchaînée*, exprime ses propres doutes à travers cette question prémonitoire.

La vedette démarra, s'enfonça entre les arbres immergés : les vitres frôlaient les branches couvertes de boue coagulée par la chaleur, de filaments de vase verticaux ; sur les troncs, des anneaux d'écume séchée marquaient la hauteur extrême de la crue. Claude regardait avec passion ce prologue de la forêt qui l'attendait, possédé par l'odeur de la vase qui se tend lentement au soleil, de l'écume fade qui sèche, des bêtes qui se désagrègent, par le mol aspect des animaux amphibies, couleur de boue, collés aux branches. Au-delà des feuilles, dans chaque trouée, il tentait d'apercevoir les tours d'Angkor-Wat sur le profil des arbres tordus par les vents du lac : en vain ; les feuilles, rouges de crépuscule, se refermaient sur la vie paludéenne. La fétidité lui rappela qu'à Phnom-Penh il avait découvert, au centre d'un cercle misérable, un aveugle qui psalmodiait le Ramayana[1] en s'accompagnant d'une guitare sauvage. Le Cambodge en décomposition se liait à ce vieillard qui ne troublait plus de son poème héroïque qu'un cercle de mendiants et de servantes : terre possédée, terre domestique où les hymnes comme les temples étaient en ruine, terre morte entre les mortes ; et ces coquillages terreux qui gargouillaient dans leurs coques, ignobles grillons… Devant lui la forêt terrestre, l'ennemi, comme un poing serré.

La vedette accosta enfin. Les Ford du service de location attendaient les voyageurs ; un indigène quitta leur groupe et se dirigea vers le capitaine.

« Voilà l'oiseau, dit celui-ci à Claude.

— Le boy ?

1. Ce poème, de 48 000 vers, probablement rédigé vers le ve siècle à partir de textes plus anciens, raconte les aventures de Rama, considéré comme le septième avatar du dieu hindou Vishnu, à la recherche de son épouse, la belle Sîtâ, enlevée par le roi-démon Râvana et emmenée à Ceylan. La tradition qu'il perpétue joue un rôle aussi important en Orient que la mythologie biblique en Occident.

— Je ne suis pas sûr qu'il soit très épatant, mais il n'y en a pas d'autre à Siem-Reap[1]. »

Perken posa au boy les quelques questions d'usage, et l'engagea.

« Surtout, ne lui donnez pas d'acompte », cria le capitaine qui s'était un peu éloigné.

L'indigène haussa légèrement l'épaule et prit place à côté du chauffeur de l'auto des blancs, qui partit aussitôt. Une autre voiture transportait les bagages.

« Bungalow ? demanda le chauffeur, sans se retourner. (La voiture, sur la route droite, filait déjà.)

— Non, d'abord la Résidence. »

La forêt fuyait des deux côtés de la route rouge, sur quoi se détachait la tête rasée du boy ; le crissement des cigales était si aigu qu'on l'entendait malgré le bruit du moteur. Soudain, le chauffeur étendit le bras vers l'horizon un instant apparu : « Angkor-Wat ». Mais Claude ne voyait plus à vingt mètres.

Enfin des feux et des lanternes parurent, tachés de silhouettes de poules et de porcs noirs : le village. Et bientôt l'auto s'arrêta.

« Maison du délégué de la Résidence ?

— Oui, Mssié.

— Je ne resterai qu'un instant, je pense », dit Claude à Perken.

Le délégué[2] l'attendait dans une haute pièce. Il vint à lui, secouant lentement la main qu'il lui tendait, comme s'il l'eût soupesée :

« Content de vous voir, Msieu Vannec, content de vous voir… Vous attendais depuis un moment… En retard, c'sacré bateau, comme toujours… »

1. Cette petite ville, située dans la province du même nom, se trouve à quelques kilomètres des ruines d'Angkor.

2. Le délégué du Gouvernement à Siem-Reap, Crémazy, servit de modèle à l'auteur.

L'homme grognait ses phrases de bienvenue dans ses épaisses moustaches blanches, sans lâcher la main de Claude. L'ombre de son nez solide, projetée sur le mur blanchi à la chaux, écornait une peinture cambodgienne.

« Alors, comme ça, vous voulez faire de la brousse ?

— Puisque vous êtes informé de ma venue, Monsieur, je pense que vous connaissez exactement la mission que je dois entreprendre ?

— Que vous devez, heu, que vous devez entreprendre... Enfin, ça vous regarde.

— Je pense que je puis compter sur votre aide pour l'exécution des réquisitions nécessaires au départ de ma caravane ? »

Le vieux délégué se leva sans répondre ; ses jointures craquèrent dans le silence.

Il commença à marcher à travers la pièce, suivi de son ombre.

« Faut marcher, msieu Vannec, si vous ne voulez pas être bouffé par ces sacrés moustiques... L'heure est mauvaise, vous savez...

« Les réquisitions... hum !... »

(« Ce raclement de gorge m'agace, pensa Claude. Assez joué le maréchal gâteux ! »)

« Les réquisitions ?

— Ben, voilà... Pour le savoir, vous les aurez, bien sûr... Seulement, vous savez, les réquisitions, c'est pas grand-chose. Je sais bien que les chargés de missions qui viennent ici n'aiment pas beaucoup qu'on ait l'air de leur donner des leçons, ça les embête... mais tout de même...

— Dites.

— Vous, ce que vous voulez faire, c'est pas une petite balade comme celle des autres. Alors, je dois vous dire une bonne chose : les réquisitions, dans ce pays-ci, c'est comme qui dirait : la peau.

— Je n'aurais rien ?

— Oh ! c'est pas ce que je veux dire. Vous avez une mission, vous avez une mission ; personne n'y peut rien. On vous donnera ce qu'on doit vous donner. De ce côté-là, soyez tranquille. Les instructions sont les instructions. (Quoique, pour vous, ça ne soit pas si bon que ça en a l'air).

— C'est-à-dire ?

— Vous pensez bien que je ne suis pas ici pour vous faire des confidences, pas ? Mais enfin, il y a des choses qui ne me plaisent pas toujours, dans c'sacré métier. J'aime pas les histoires. Alors, voyez-vous, je voudrais vous dire encore une bonne chose, mais alors, une vraiment bonne chose, ce qui s'appelle un conseil, quoi ! — msieu Vannec, faut pas faire de brousse. Laissez tomber, c'est plus sage. Rentrez dans une grande ville, à Saigon, par exemple. Et attendez un peu. C'est moi qui vous le dis.

— Pensez-vous que j'aie fait la moitié du tour du monde pour m'en aller à Saigon, satisfait, avec un petit air naïf ?

— C'te moitié, vous savez, on l'a tous faite, ici, et on n'est pas plus fiers pour ça… Mais, justement : puisque vous vous donniez tant de peine, c'était donc bien difficile de vous arranger avec msieu Ramèges et son machin, son Institut ? Ç'aurait été mieux pour tout le monde, et moi je n'aurais pas eu à entrer dans une histoire… Maintenant, ce que je vous en dis…

— D'une part, cher Monsieur, vous me donnez un conseil que je dois, semble-t-il, à une certaine sympathie (il faillit ajouter : "ou à une certaine antipathie pour l'Institut français" mais n'en fit rien) ; mais, d'autre part, vous me dites qu'en tout état de cause on ne m'empêchera pas de tenter ma mission : j'ai peine à…

— J'ai pas dit ça. J'ai dit qu'on vous donnera ce à quoi vous avez droit.

— Ah… Oui. Je commence peut-être à comprendre. Mais je voudrais tout de même…

— En savoir plus ? Ben dites-vous que c'est un désir qui ne sera point satisfait. Maintenant, soyons pratiques : voulez-vous réfléchir ?

— Non.

— Vous voulez partir quand même ?

— Parfaitement.

— Bon. Espérons que vous avez pour ça de bonnes raisons, parce que sans ça, msieu Vannec, sans vouloir vous froisser, vous auriez tort. Là-dessus, faut que je vous donne — non, ça sera pour plus tard — alors, que je vous dise un mot de msieu Perken.

— Quoi ?

— J'ai là — attendez, dans l'autre dossier[1], non ? enfin ça ne fait rien — j'ai quelque part, là, une note de la Sûreté du Cambodge dont je dois aussi "vous communiquer l'esprit". Entendons-nous bien : moi, ce que je vais vous en dire, c'est parce que j'en suis chargé. Parce que moi, vous savez, j'ai horreur de ces trucs-là. C't'absurde. Y a une seule chose sérieuse dans la région, c'est la question du commerce des bois. On ferait mieux de m'aider à travailler sérieusement que de m'barber avec des histoires de pierres et de cailloux…

— Donc ?

— Voilà msieu Perken qui voyage avec vous, on lui a donné ses passeports parce que le Gouvernement siamois a insisté. Il va rechercher — qu'il dit ! — un

1. Malraux exprima la conviction, durant son procès et plus tard dans ses *Antimémoires* (*Le Miroir des limbes, op. cit.*, p. 349), d'avoir fait l'objet d'un même type de dossier de la part de la Sûreté française.

certain Grabot. Notez qu'on aurait pu refuser, puisque c'Grabot, chez nous, est déserteur…

— Pourquoi ne l'a-t-on pas fait ? Pas par humanité, je pense ?

— Les disparitions, par ici, faut les tirer au clair. Enfin, Grabot : une gouape, voilà. Et plutôt à la côte quand il est parti.

— Je crois que Perken le connaissait assez peu, mais en quoi cela me regarde-t-il ?

— M'sieu Perken, c'est une espèce de grand fonctionnaire siamois, s'pas, bien qu'il soit pas très officiel. Je l'connais : y a dix ans que j'entends parler d'lui. Et j'vous dis personnellement ceci : quand il est parti pour l'Europe, il est entré en pourparlers avec nous — avec nous, hein, pas avec les Siamois, vous comprenez bien ? — pour tâcher d'avoir quèques mitrailleuses. »

Claude regardait le délégué en silence.

« C'est comme ça, msieu Vannec. Alors quand est-ce que vous voulez partir ?

— Le plus tôt possible.

— Dans trois jours, alors. Vous aurez ça à six heures du matin. Vous avez un boy ?

— Oui, dans l'auto.

— Je descends avec vous. Je vais lui donner tout de suite les instructions nécessaires. Ah ! vos lettres ! »

Il remit à Claude quelques enveloppes. L'une portait l'en-tête de l'Institut français. Claude allait l'ouvrir mais le ton sur lequel le délégué appelait son boy lui fit lever la tête : l'auto attendait, bleue sous l'ampoule de la porte ; le boy, qui s'était écarté — en voyant arriver le délégué sans doute — se rapprochait, hésitant. Ils échangèrent quelques phrases en annamite ; Claude regardait d'autant plus attentivement qu'il ne comprenait pas. Le boy semblait atterré ; le délégué, ses moustaches blanches pleines de lumière électrique, gesticulait.

« Je vous préviens que ce boy sort de prison.

— Pour ?

— Jeu, divers larcins. Vous feriez bien d'en prendre un autre.

— Je verrai.

— Enfin, je l'ai mis au courant. Si vous le remplacez, hum ! il transmettra mes instructions… »

Le délégué dit encore une phrase en annamite, puis il serra la main de Claude. Il regardait le jeune homme dans les yeux, entrouvrant et refermant la bouche, comme s'il eût été sur le point de parler ; son corps restait immobile, clair sur le fond sombre de la forêt, depuis ses cheveux blancs en brosse jusqu'à ses souliers de toile ; il ne desserrait pas son étreinte. « A-t-il quelque chose à me dire ? » se demanda Claude. Mais le délégué lâcha sa main, fit demi-tour, et, sur un dernier « hum ! » suivi d'un marmonnement, rentra.

« Boy ?

— Mssié ?

— Comment t'appelles-tu ?

— Xa[1].

— Tu as entendu ce que le délégué a dit de toi ?

— Mssié, ça pas vrai !

— Vrai ou pas vrai, ça m'est égal. Tu m'entends ? *ça m'est égal.* Si tu fais avec moi ce que tu dois faire, le reste m'est indifférent. Compris ? »

Le boy regardait Claude, ahuri.

« Compris ?

— Oui, Mssié…

1. Le personnage du boy Xa a eu un modèle réel, ainsi que la conduite de Claude à son égard (Clara Malraux, *Nos vingt ans*, pp. 103-104).

— Bon. Tu as entendu aussi ce qu'a dit le Capitaine ?

— "Pas donner acompte".

— Voilà cinq piastres. Chauffeur, démarre. »

Il reprit sa place.

« C'est une méthode ? demanda Perken en souriant.

— Si vous voulez. S'il est fripouillard, nous ne le reverrons pas demain ; sinon, c'est un homme gagné. Le loyalisme est un des rares sentiments qui ne me semblent pas pourris...

— Peut-être... Alors, que dit ce vieux guerrier qui grogne si bien ? »

Claude réfléchit.

« Des choses assez curieuses, dont je dois vous parler ; mais résumons d'abord. Nous aurons nos charrettes après-demain. Il insinue, assez clairement, que je serais sage en retournant à Saigon...

— Car ?

— Car, rien. Il ne va pas plus loin... Il a l'intention d'obéir à des instructions qui, de toute évidence, l'embêtent ou le gênent.

— Vous n'avez pas pu en savoir davantage ?

— Non. A moins que... Attendez, at... tendez... »

Il avait gardé l'enveloppe dans sa main. Il eut peine à l'ouvrir, et, quand il eut déplié la lettre, ne put la lire. Perken sortit sa lampe électrique.

« Halte ! » cria Claude.

Le bruit du moteur diminua, s'engloutit dans le crissement des cigales.

« *Cher Monsieur*, lisait Claude à haute voix, *je crois de mon devoir* (ça commence bien) — *pour n'avoir à craindre aucune confusion et pour que vous puissiez exercer sur les personnes susceptibles de vous accompagner la surveillance nécessaire, de vous transmettre l'arrêté ci-joint du Gouverneur général, arrêté tou-*

jours en vigueur, et dont le caractère un peu vague sera précisé cette semaine par une nouvelle décision administrative.

« *Croyez, je vous prie* — (passons ! ah mais non, mais non…) — *à tous mes souhaits de bonne chance. Bien attentivement à vous.* (Quel arrêté ?) »

Il prit la seconde feuille :

« *Le Gouverneur général de l'Indochine, sur la proposition du directeur de l'Institut français...* (passons, bon sang !…) *arrête :*

« *Tous monuments, découverts* et à découvrir, *situés sur les territoires des provinces de Siam-Reap, Battambang et Sisophon, sont déclarés monuments historiques...* C'est de 1908.

— Il y a une suite ?

— Administrative : dommage de s'être arrêté en si beau chemin ! Chauffeur, repars !

— Alors ? »

Perken dirigeait maintenant sur son visage la lampe électrique.

« Eteignez ça, voulez-vous ? Quoi, alors ? Vous ne pensez pas que ça change mes intentions ?

— Je suis content d'avoir raison de penser que ça ne les change pas. J'attendais de l'Administration une réaction de ce genre, je vous l'ai dit sur le bateau. Ce sera plus difficile, voilà tout. Mais en brousse… »

L'impossibilité où était Claude de revenir en arrière était pour lui à tel point évidente que l'idée de discuter de ce qu'il allait faire l'exaspérait. Le jeu commençait : tant mieux. Il chassait l'inquiétude : il fallait aller plus loin, avancer comme cette auto qui s'enfonçait dans l'air noir, dans la forêt informe.

L'ombre aussitôt dépassée d'un cheval apparut dans la lumière du phare, puis des ampoules électriques…

Le bungalow.

Le boy s'occupait des bagages. Claude, avant même de demander à boire, avait écarté, sur la table de rotin, les numéros jaunis de *L'Illustration*, et, sans prendre garde au bourdonnement des moustiques, dévissait le capuchon de son stylo.

« Vous n'allez pas répondre maintenant ?

— Soyez tranquille, je n'enverrai la lettre que quand nous partirons. Mais je vais répondre, ça me calmera les nerfs. Ce sera très court d'ailleurs. »

En effet : trois lignes. Il passa la feuille à Perken, tandis qu'il écrivait l'adresse.

Cher Monsieur,

La peau de l'ours aussi est déclarée monument historique, mais il pourrait être imprudent de venir la chercher.

Plus attentivement encore

Claude VANNEC.

Le boy du bungalow apportait les sodas, à tout hasard. « Buvons et sortons, dit Claude. Cc n'est pas tout. »

De l'autre côté de la route commençait la grande chaussée d'Angkor-Wat. Ils s'y engagèrent. Ils se tordaient les pieds à chaque pas sur les dalles disjointes. Perken s'assit sur une pierre.

« Eh bien ? »

Claude lui rapporta la conversation qu'il venait d'avoir avec le délégué. Perken alluma une cigarette : son visage, tout près de la flamme du briquet, sortit une seconde de l'obscurité, flétri, marqué, se fondit dans la lueur rougeâtre du tabac allumé…

« De moi, le délégué ne vous a rien dit de plus ?

— Ça commençait à suffire…

— Et qu'avez-vous pensé de tout cela ?...

— Rien. Nous jouons ensemble notre vie[1] ; je suis ici pour vous aider, non pour vous demander des comptes. Si vous avez besoin de mitrailleuses, je regretterai seulement que vous ne m'en parliez pas, parce que j'aimerais à en trouver pour vous. »

Le vaste silence de la forêt retomba, avec son goût de terre fraîchement remuée. L'appel rauque d'un crapaud-buffle — si semblable au cri du porc qu'on égorge — l'emplit soudain, se perdit à la fois dans l'obscurité et l'odeur des étangs...

« Comprenez-moi. Si j'accepte un homme, je l'accepte totalement, je l'accepte comme moi-même. De quel acte, commis par cet homme qui est des miens, puis-je affirmer que je ne l'aurais pas commis ? »

Le silence, de nouveau.

« Vous n'avez pas encore été gravement trahi ?

— On ne pense pas sans danger contre la masse des hommes. Vers qui irais-je, sinon vers ceux qui se défendent comme moi ?

— Ou qui attaquent...

— Ou qui attaquent.

— Et peu vous importe le lieu où l'amitié peut vous entraîner ?...

— Craindrai-je l'amour à cause de la vérole ? Je ne dis pas : peu m'importe, je dis : je l'accepte. »

Dans la nuit, Perken posa sa main sur l'épaule de Claude.

« Je vous souhaite de mourir jeune, Claude, comme j'ai souhaité peu de choses au monde... Vous ne soupçonnez pas ce que c'est que d'être prisonnier de sa propre

1. Cet aspect de joueur, qui a besoin de courir des risques pour se sentir exister, est un trait fortement mis en valeur chez Perken (*cf.*, aussi pp. 81, 84) comme chez le héros des *Conquérants*, Garine.

vie : je n'ai commencé à le deviner, moi, que lorsque nous nous sommes séparés, Sarah et moi. Qu'elle ait couché avec ceux dont la bouche lui plaisait — surtout lorsqu'elle était seule — comme elle m'aurait suivi au bagne, ça ne faisait rien, et elle avait passé à travers beaucoup de choses au Siam depuis son mariage avec le prince Pitsanulok[1]... Une femme qui connaissait la vie, mais pas la mort. Un jour elle a vu que sa vie avait pris une forme : la mienne, que son destin était là et non ailleurs, et elle a commencé à me regarder avec autant de haine que sa glace. (Ce regard de la blanche à qui sa glace montre une fois de plus que les Tropiques vont lui faire pour toujours une tête de fiévreuse, vous savez...) Toutes ses anciennes espérances de femme jeune se sont mises à miner sa vie comme une syphilis attrapée dans l'adolescence, — et la mienne par contagion... Vous ne savez pas ce que c'est que le destin limité, irréfutable, qui tombe sur vous comme un règlement sur un prisonnier : la certitude que vous serez cela et pas autre chose, que vous *aurez été* cela et pas autre chose, que ce que vous n'avez pas eu, vous ne l'aurez jamais. Et derrière soi, tous ses espoirs, ses espoirs qu'on a dans la peau comme on n'aura jamais aucun être vivant... »

L'odeur de décomposition des étangs enveloppait Claude, qui revit sa mère errer à travers l'hôtel de son grand-père : presque cachée dans la pénombre, à l'exception de la crosse de ses lourds cheveux où se plaquait le jour, regardant avec épouvante, dans le petit miroir orné

1. Ce prince a réellement existé. Deuxième fils du roi du Siam, il divorça de sa première femme, une Russe rencontrée à Moscou. Après le divorce, le prince mourut soudainement, alors qu'il venait de rendre visite à la jeune femme établie à Singapour. Celle-ci fut accusée, mais on ne put rien prouver contre elle. L'histoire fort romanesque de ce couple ne subsiste ici qu'à l'état de traces ; elle occupait une place plus importante dans les premiers états du roman.

d'un galion romantique, l'affaissement des coins de sa bouche et le grossissement de son nez, massant ses paupières avec un geste d'aveugle…

« J'ai compris, reprit Perken, parce que je n'étais pas très loin moi-même de ce moment-là : du moment où il faut régler le compte de ses espoirs. C'est comme si nous devions tuer un être pour qui nous avons vécu. Aussi facile et aussi gai. Encore des mots dont vous devez ignorer le sens : tuer quelqu'un qui ne veut pas mourir… Et quand on n'a pas d'enfants, quand on n'a pas voulu d'enfants, l'espoir est invendable, on ne peut le donner à personne et il s'agit bien de le tuer soi-même. C'est pourquoi la sympathie peut devenir si profonde lorsqu'on le rencontre chez d'autres… »

Comme une note répétée d'octave en octave, des chants de grenouilles creusaient les ténèbres jusqu'à l'invisible horizon.

« La jeunesse est une religion dont il faut toujours finir par se convertir… Et pourtant !… J'ai tenté sérieusement ce que Mayerena a voulu tenter en se croyant sur la scène de vos théâtres. Etre roi est idiot ; ce qui compte, c'est de faire un royaume. Je n'ai pas joué l'imbécile avec un sabre ; à peine me suis-je servi de mon fusil (pourtant, croyez que je tire bien). Mais je suis lié, de façon ou d'autre, à presque tous les chefs des tribus libres, jusqu'au Haut-Laos. Voilà quinze ans que cela dure. Je les ai atteints un à un, abrutis ou courageux. Et ce n'est pas le Siam qu'ils connaissent : c'est moi.

— Que voulez-vous en faire ?

— *Je voulais*… Une force militaire, d'abord. Grossière mais rapidement transformable. Et attendre le conflit inévitable par ici, soit entre colonisateurs et colonisés, soit entre colonisateurs seulement. Alors, le jeu pourrait être joué. Exister dans un grand nombre d'hommes, et peut-être pour longtemps. Je veux laisser une cicatrice sur cette carte[1]. Puisque je dois jouer contre ma mort, j'aime mieux jouer avec vingt tribus qu'avec un enfant… Je voulais cela comme mon père voulait la propriété de son voisin, comme je veux des femmes. »

L'intonation surprit Claude. Rien de la voix de l'obsédé : rigoureuse, méditée.

« Pourquoi ne le voulez-vous plus ?

— Je veux la paix. »

Il disait : la paix comme il eût dit : agir. Bien que sa cigarette fût allumée, il n'avait pas éteint son briquet. Il l'approcha du mur, regarda avec attention les sculptures et la ligne de séparation des pierres. La paix, il semblait qu'il la cherchât là.

« D'un mur pareil, il serait impossible de rien emporter… »

Il éteignit enfin la petite flamme. La nuit se replaqua sur le mur, intense, à peine troublée au-dessus d'eux par des lueurs (des bâtons d'encens allumés devant les Bouddhas, sans doute), la moitié des étoiles cachées par la masse colossale écrasée devant eux et qui s'imposait, sans qu'ils la vissent, par sa seule présence dans l'ombre.

« La vase ? vous sentez… reprit Perken. Mon projet aussi est pourri. Je n'ai plus le temps. Avant deux ans, les prolongements des lignes du chemin de fer seront achevés. Avant cinq ans, la brousse sera traversée : routes ou trains.

— C'est la valeur stratégique des routes qui vous inquiète ?

— Elle est nulle. Mais avec l'alcool et la pacotille, mes Moïs seront fichus. Rien à faire. Il faut que je passe la main au Siam, ou que j'abandonne.

1. Si son histoire est assez mystérieuse, son objectif est clair. Ce besoin de puissance et de durée se retrouve chez les autres héros aventuriers de Malraux : Garine *(Les Conquérants)* et Ferral *(La Condition humaine)*.

— Mais les mitrailleuses ?

— Dans la région où je réside, je suis libre. Si je suis armé, j'y tiendrai jusqu'à ma mort. Et il y a les femmes. Avec quelques mitrailleuses, la région est imprenable pour un Etat à moins de sacrifier un très grand nombre d'hommes. »

Les lignes du chemin de fer, pas encore achevées, suffisaient-elles à justifier ses paroles[1] ? Il était peu probable que la région insoumise pût vivre contre la « civilisation », contre son avant-garde annamite et siamoise. « Les femmes... » Claude n'avait pas oublié Djibouti.

« Ce sont seulement des réflexions qui vous ont séparé de votre projet ?

— Je ne l'ai pas oublié : si l'occasion... Mais je ne peux plus vivre avant tout pour lui. J'y ai beaucoup songé, après le fiasco du bordel de Djibouti[2] aussi... Voyez-vous, je crois que ce qui m'en a séparé, comme vous dites, ce sont les femmes que j'ai manquées. Ce n'est pas l'impuissance, comprenez bien. Une menace... Comme la première fois que j'ai vu que Sarah vieillissait. La *fin* de quelque chose, surtout... je me sens vidé de mon espoir, avec une force qui monte en moi, contre moi, comme la faim. »

Il sentait le contact étouffé que ces paroles martelées maintenaient entre Claude et lui.

« J'ai toujours été indifférent à l'argent. Le Siam me doit plus que je ne lui demanderais, mais il ne marchera

1. Les puissances qui s'affrontaient en Indochine s'intéressaient à la construction d'un chemin de fer dans ces régions pour des raisons à la fois stratégiques et économiques.

2. Le texte laisse ici entendre que la visite au « bordel de Djibouti » a été pour Perken le lieu d'une première manifestation d'impuissance. Ce propos voilé colore rétrospectivement la conversation qu'il a avec Claude, au début du roman, sur l'érotisme.

plus. Il se méfie… Non, ce n'est pas qu'il ait des raisons particulières de le faire : mais il se méfie de moi en bloc, autant que moi des deux ou trois années où je suis obligé de réfugier mon espoir… Il faudrait tenter ces choses sans s'appuyer sur un Etat, sans jouer ce rôle de chien de chasse qui attend de chasser pour son propre compte. Mais jamais personne ne l'a réussi — et personne, en somme, ne l'a tenté sérieusement. — Brooke[1] à Sarawak, même Mayerena… Ces projets-là sont malades quand il faut réfléchir à ce qu'ils valent. Si j'ai joué ma vie sur un jeu plus grand que moi…

— Que faire d'autre ?

— Rien. Mais ce jeu me cachait le reste du monde et j'ai parfois singulièrement besoin qu'il me soit caché… Si je l'avais réalisé, ce projet… mais que tout ce que je pense soit pourriture je m'en fous, qu'il y a les femmes.

— Les corps ?

— On n'imagine pas ce qu'il y a de haine du monde dans le : "une de plus". Tout corps qu'on n'a pas eu est ennemi… Maintenant, j'ai tous mes vieux rêves dans les reins… »

Sa volonté de convaincre pesait sur Claude, toute proche, comme ce temple perdu dans la nuit.

« Et puis, rendez-vous compte de ce que c'est que ce pays. Songez que je commence à comprendre leurs cultes érotiques, cette assimilation de l'homme qui arrive à se confondre, jusqu'aux sensations, avec la femme qu'il prend, à s'imaginer *elle* sans cesser d'être lui-même. Rien ne compte à côté de la volupté d'un être qui commence à ne plus pouvoir la supporter. Non,

1. L'Anglais James Brooke qui devint rajah de Sumatra avait fondé un petit royaume à Sarawak dans le nord-ouest de Bornéo. Malraux en parle à nouveau dans les *Antimémoires*, rapprochant son aventure de celle de Mayrena-Perken (*Le Miroir des limbes*, p. 379).

ce ne sont pas des corps, ces femmes : ce sont des… des possibilités, oui. Et je veux… »

Il fit un geste que Claude devina seulement dans la nuit, comme d'une main qui écrase.

« … comme j'ai voulu vaincre des hommes… »

« Ce qu'il veut, pensait Claude, c'est s'anéantir. S'en doute-t-il plus qu'il ne le dit ? Il y parviendra assez bien… » De ses espoirs piétinés, Perken avait parlé sur un ton qui ne permettait pas de croire à leur abandon ; ou, si l'abandon existait, l'érotisme n'était pas seul à le compenser.

« Je n'ai pas encore fini avec les hommes… D'où je serai, je pourrai encore surveiller le Mékong (dommage que je ne connaisse pas la région où nous allons, ou que vous ne connaissiez pas une voie royale trois cents kilomètres plus haut !) mais j'entends le surveiller seul et n'avoir pas de voisin. Il faut voir ce qu'est devenu Grabot[1]…

— Où est-il parti ?

— Tout près des Dang Rek, à cinquante kilomètres de notre itinéraire à peu près. Pour quoi faire ? Ses copains de Bangkok disent qu'il est venu pour l'or : toutes les épaves d'Europe pensent à l'or. Mais il connaît le pays : il ne doit pas croire à cette histoire. On m'a parlé aussi d'une combinaison, d'une vente d'objets de traite aux insoumis…

— Comment paient-ils ?

— En peaux, un peu en poudre d'or. Une combinaison est plus vraisemblable : il est Parisien : son père devait inventer des porte-cravates, des démarreurs, des brise-jet… Je pense qu'il est surtout allé régler certains

1. Cet aventurier dont nous découvrons progressivement la personnalité à travers les propos de Perken a été inspiré à l'auteur par la lecture du roman de Conrad, *Cœur des ténèbres*, dont le héros, Marlow, remonte le fleuve, lui aussi à la recherche de Kurtz, un Occidental hors du commun, « pris par la sauvagerie ».

comptes avec lui-même… Je vous en parlerai un jour. Mais il est certainement parti en accord avec le gouvernement de Bangkok, sinon on ne tiendrait pas tant à le retrouver. Sans doute est-il venu pour eux et commence-t-il déjà à jouer son propre jeu, ce qui est tout de même prématuré… Sinon, il les tiendrait au courant. Peut-être l'avaient-ils chargé de contrôler ma position là-haut. Il est précisément parti en mon absence…

— Mais il n'est pas parti dans la même région que vous ?

— Il aurait été accueilli à son arrivée par les flèches, et surtout quelques balles de mes fusils Gras d'instruction. Rien à faire. Il n'a pu tenter de venir — s'il l'a voulu — que par les Dang Rek.

— Quel homme est-ce ?

— Ecoutez. Pendant son service militaire, il prend en haine un médecin-major qui ne l'avait pas "reconnu" lorsqu'il était malade, je crois, ou pour tout autre raison. Il se fait porter malade à nouveau la semaine suivante, va à l'infirmerie : "Encore toi ? — Des boutons. — Où ça ?…" L'autre ouvre la main : six boutons de culotte. Un mois de prison. Il écrit aussitôt au général, précisant une maladie des yeux. Dès son entrée en prison (j'oubliais de vous dire qu'il avait une blennorragie), il prend du pus blennorragique, sachant parfaitement ce qu'il faisait, se le colle dans l'œil. Fait punir le major. Perd l'œil, bien entendu. Il est borgne. Une de vos têtes toutes rondes de Français, avec un nez en pomme de terre et un corps de déménageur. Enchanté, à Bangkok, de ses entrées nonchalantes de grosse brute dans les bars. Vous voyez cela : les regards qui le suivent à la dérobée, les types qui s'écartent peu à peu et dans un coin des copains — pas beaucoup — qui lèvent leur verre en vociférant… Evadé de vos bataillons d'Afrique. Encore un dont les rapports avec l'érotisme sont particuliers… »

DEUXIÈME PARTIE

I

Depuis quatre jours, la forêt.

Depuis quatre jours, campements près des villages nés d'elle comme leurs bouddhas de bois, comme le chaume de palmes de leurs huttes sorties du sol mou en monstrueux insectes ; décomposition de l'esprit dans cette lumière d'aquarium, d'une épaisseur d'eau. Ils avaient rencontré déjà des petits monuments écrasés, aux pierres si serrées par les racines qui les fixaient au sol comme des pattes qu'ils ne semblaient plus avoir été élevés par des hommes mais par des êtres disparus habitués à cette vie sans horizon, à ces ténèbres marines. Décomposée par les siècles, la Voie ne montrait sa présence que par ces masses minérales pourries, avec les deux yeux de quelque crapaud immobile dans un angle des pierres. Promesses ou refus, ces monuments abandonnés par la forêt comme des squelettes ? La caravane allait-elle enfin atteindre le temple sculpté vers quoi la guidait l'adolescent qui fumait sans discontinuer les cigarettes de Perken ? Ils auraient dû être arrivés depuis trois heures… La forêt et la chaleur étaient pourtant plus fortes que l'inquiétude : Claude sombrait comme dans une maladie dans cette fermentation où les formes se gonflaient, s'allongeaient, pourrissaient hors du monde dans lequel l'homme compte, qui le séparait de lui-même avec la force de l'obscurité. Et partout, les insectes.

Les autres animaux, furtifs et le plus souvent invisibles, venaient d'un autre univers, où les feuilles des arbres ne semblent pas collées par l'air même aux feuilles gluantes sur lesquelles marchent les chevaux ; de l'univers qui apparaissait parfois dans les furieuses trouées du soleil, dans le remous d'atomes scintillants où passaient, rapides, des ombres d'oiseaux. Les insectes, eux, vivaient de la forêt, depuis les boules noires qu'écrasaient les sabots des bœufs attelés aux charrettes et les fourmis qui gravissaient en tremblotant les troncs poreux, jusqu'aux araignées retenues par leurs pattes de sauterelles au centre de toiles de quatre mètres dont les fils recueillaient le jour qui traînait encore auprès du sol, et apparaissaient de loin sur la confusion des formes, phosphorescentes et géométriques, dans une immobilité d'éternité. Seules, sur les mouvements de mollusque de la brousse, elles fixaient des figures qu'une trouble analogie reliait aux autres insectes, aux cancrelats, aux mouches, aux bêtes sans nom dont la tête sortait de la carapace au ras des mousses, à l'écœurante virulence d'une vie de microscope. Les termitières hautes et blanchâtres, sur lesquelles les termites ne se voyaient jamais, élevaient dans la pénombre leurs pics de planètes abandonnées comme si elles eussent trouvé naissance dans la corruption de l'air, dans l'odeur de champignon, dans la présence des minuscules sangsues agglutinées sous les feuilles comme des œufs de mouches. L'unité de la forêt, maintenant, s'imposait ; depuis six jours Claude avait renoncé à séparer les êtres des formes, la vie qui bouge de la vie qui suinte ; une puissance inconnue liait aux arbres les fongosités, faisait grouiller toutes ces choses provisoires sur un sol semblable à l'écume des marais, dans ces bois fumants de commencement du monde. Quel acte humain, ici, avait un sens ? Quelle volonté conservait sa force ? Tout se ramifiait, s'amollissait, s'efforçait de s'accorder à ce monde ignoble et attirant à la fois comme le regard des idiots, et qui attaquait les nerfs avec la même puissance abjecte que ces araignées suspendues entre les branches, dont il avait eu d'abord tant de peine à détourner les yeux.

Les chevaux marchaient le col baissé, en silence ; le jeune guide avançait lentement, mais sans hésiter, suivi du Cambodgien que le délégué avait adjoint à la caravane pour réquisitionner les conducteurs — et pour la surveiller : Svay. A l'instant où, le plus vite possible, Claude tournait la tête (sa crainte maladive de se jeter dans une toile d'araignée l'obligeait à regarder avec soin devant lui), un contact le fit sursauter : Perken venait de lui toucher le bras, indiquant de sa cigarette, très rouge dans cet air si sombre, une masse perdue dans les arbres et d'où, çà et là, sortaient des roseaux. Une fois de plus, Claude n'avait rien su distinguer à travers les troncs. Il s'approcha des vestiges d'un mur de pierre brune, taché de mousse ; quelques petites boules de rosée, qui ne s'étaient pas encore évaporées, brillaient... « L'enceinte, pensa-t-il. Le fossé a été comblé. »

Le sentier se perdait sous leurs pieds ; de l'autre côté de l'éboulis, qu'ils contournèrent, une profusion de roseaux, serrés comme ceux d'une claie, barraient la forêt à hauteur d'homme.

Le boy cria aux conducteurs des charrettes de venir avec leur coupe-coupe : voix stagnante, écrasée par la voûte des feuilles... Les mains à demi crispées de Claude se souvenaient des fouilles, lorsque le marteau retenu cherche à travers la couche de terre un objet inconnu. Le buste des conducteurs s'abaissait d'un mouvement lent, presque paresseux, et se relevait d'un coup, droit, dominé par la tache bleue du fer qui reflétait, en tournant, la clarté du ciel invisible ; à chaque mouvement des fers parallèles, de droite à gauche, Claude sentait dans son bras l'aiguille d'un médecin qui jadis, cherchant maladroitement sa veine, lui raclait la chair. Du chemin qui peu à peu s'approfondissait montait une odeur de marais, plus fade que celle de la forêt ; Perken suivait pas à pas les conducteurs. Sous ses souliers de cuir un roseau mort sans doute depuis longtemps craqua avec un bruit sec : deux grenouilles des ruines s'enfuirent sans hâte.

Au-dessus des arbres, de grands oiseaux s'envolèrent lourdement ; les faucheurs venaient d'atteindre un mur. Il devenait facile de retrouver la porte, pour s'orienter ensuite : ils n'avaient pu dériver qu'à gauche ; il suffisait donc de suivre le mur vers la droite. Roseaux et buissons épineux venaient jusqu'à son pied. Claude, d'un rétablissement, se trouva sur lui.

« Pouvez-vous avancer ? » demanda Perken.

Le mur traversait la végétation comme un chemin, mais sous une mousse gluante. La chute, si Claude voulait marcher, était d'un extrême danger : la gangrène est aussi maîtresse de la forêt que l'insecte[1]. Il commença à avancer à plat ventre ; la mousse à l'odeur de pourriture, couverte de feuilles mi-visqueuses, mi-réduites aux nervures comme si elle les eût en partie digérées, s'étendait à hauteur de son visage, grossie par la proximité, vaguement agitée dans l'air si calme, rappelant

1. L'évocation des insectes revient de manière presque obsessionnelle dans le roman (pp. 124, 127, 198, etc.) : ils incarnent la vie grouillante, sous sa forme inhumaine, inconsciente, incontrôlée.

par le mouvement des fibrilles la présence des insectes. Au troisième mètre, il sentit un chatouillement.

Il s'arrêta, raclant son cou de sa main. Le chatouillement passa sur elle, il la ramena aussitôt : deux fourmis noires grandes comme des guêpes, les antennes distinctes, essayaient de se glisser entre ses doigts. Il secoua sa main de toute sa force : elles tombèrent. Il était déjà debout. Pas de fourmis sur ses vêtements. A l'extrémité du mur, à cent mètres, une trouée plus claire : la porte, sans aucun doute, et les sculptures. En bas, le sol criblé de pierres éboulées. Sur la trouée claire, une branche passait en silhouette ; de grandes fourmis, le ventre en silhouette aussi, les pattes invisibles, la suivaient comme un pont. Claude voulut l'écarter mais il la manqua d'abord. « Il faut absolument que j'arrive au bout. S'il y a des fourmis rouges, ça ira mal, mais si je revenais, ça irait plus mal... A moins qu'on n'ait exagéré ? — Eh bien ? » cria Perken. Il ne répondit rien, avança d'un pas. Equilibre plus que précaire. Ce mur attirait ses mains avec une force d'être vivant : il se laissa tomber sur lui ; et à l'instant, conseillé par ses muscles, il comprit comment il devait marcher : non sur les mains et les genoux mais sur les mains et la pointe des pieds (il pensa au gros dos des chats). Il avança aussitôt. Chaque main pouvait défendre l'autre ; pieds et mollets étaient protégés par le cuir, leur contact avec la mousse réduit au minimum. « Ça va », cria-t-il. Sa voix le surprit, criarde et désaccordée : elle n'avait pas encore oublié les fourmis. Il avançait lentement, exaspéré par le peu d'obéissance de son corps maladroit, par les mouvements impatients qui jetaient ses reins de droite à gauche, au lieu de le faire aller plus vite. Il s'arrêta encore, une main en l'air, chien au guet, bloqué par une nouvelle sensation que sa surexcitation avait retardée : dans sa main levée persistait l'écrasement de minuscules œufs agglutinés, de bêtes à coques. De nouveau, ses membres étaient enrayés. Il ne voyait que la tache de lumière qui l'absorbait, mais ses nerfs ne voyaient que les insectes écrasés, n'obéissaient qu'à leur contact. Déjà relevé, crachant, il vit grouillantes d'insectes, une seconde, ces pierres du sol sur quoi pouvait s'écraser sa vie ; dérivé du dégoût par le danger, il retomba sur le mur avec une brutalité de bête en fuite, avançant de nouveau, ses mains gluantes collées aux feuilles pourries, hébété de dégoût, n'existant plus que pour cette trouée qui le tirait par les yeux. Comme une chose qui éclate, elle fit place au ciel. Il s'arrêta, stupide : dans cette position, il ne savait plus sauter.

Il put enfin prendre l'angle du mur et descendre.

Des dalles envahies par les basses herbes conduisaient à une nouvelle masse sombre : une seule tour, de toute évidence ; il connaissait les plans de ce genre de sanctuaire. Libre enfin de courir comme un homme il se jeta en avant, la tête mal protégée par le bras replié, au risque de s'ouvrir la gorge sur une liane de rotin.

Inutile de chercher des sculptures : le monument était inachevé.

II

La forêt s'était refermée sur cet espoir abandonné. Depuis des jours, la caravane n'avait rencontré que des ruines sans importance ; vivante et morte comme le lit d'un fleuve, la Voie royale ne menait plus qu'aux vestiges que laissent derrière elles, tels des ossements, les migrations et les armées. Au dernier village, des chercheurs de bois avaient parlé d'un grand édifice, le Ta Mean[1], situé à la crête des monts, entre les marches cambodgiennes et une partie inexplorée du Siam, dans une région Moï. « Plusieurs centaines de mètres de bas-reliefs... »

Si c'était vrai, un sinistre supplice de Tantale ne les attendait-il pas là ? « Impossible de sortir une seule pierre du mur d'Angkor-Wat », avait dit Perken. Hors de doute. La sueur coulait sur le visage de Claude et sur son corps, gluante, intolérable. Bien que, dans cette forêt parcourue, une fois l'an, par quelque minable caravane de charrettes chargées de verroteries que les indigènes allaient troquer contre le stick-laque et les cardamomes des sauvages, sa vie valût le prix d'une balle, il ne croyait pas que les pirates osassent attaquer, sans l'espoir d'un grand profit, des Européens armés. (Mais ces pirates connaissaient peut-être des temples...) ; et pourtant, l'inquiétude rôdait en lui. « La fatigue ?... » pensa-t-il ; à l'instant même, il comprit que son regard, qui depuis quelques minutes errait sur la toison d'arbres d'une colline apparue dans une trouée, suivait la fumée d'un feu. Depuis plusieurs jours, ils n'avaient pas rencontré un être humain.

Les indigènes, eux, avaient vu la fumée. Tous la suivaient du regard, les épaules rentrées dans le cou comme en face d'une catastrophe. Malgré l'absence du vent, une bouffée d'odeur de chair brûlée passa : les animaux s'arrêtèrent.

« Des sauvages nomades... dit Perken. S'ils brûlent leurs morts, ils sont tous là-bas... »

Il sortit son revolver.

« Mais s'ils tiennent la piste... »

1. Le Ta Mean : d'après la description qui en est faite, on pense qu'il s'agit des ruines d'un temple situé à environ 150 km au nord-est d'Angkor, le plus beau site de tous les anciens temples khmers.

Il entrait déjà dans les feuilles, Claude sur ses talons; les mains contre le corps par crainte des sangsues qui commençaient à s'agglutiner sur leurs vêtements, les doigts crispés sur le revolver, ils avançaient, l'épaule en avant, sans un mot. A la transparence soudaine de tout le feuillage qui jaunit la forêt, Claude devina une clairière : sous le soleil, la rive opposée de la forêt brillait comme de l'eau, dominée par de minces palmes au-dessus desquelles montait toujours, verticale, lourde, lente, la fumée. « Surtout, restez sous bois », dit Perken à voix basse. Des clameurs assourdies les guidaient. Claude fut saisi de nouveau par l'odeur de viande brûlée; dès qu'il le put, il écarta les branches : au-dessus d'un rang de buissons qui le gênaient, passaient dans un grand mouvement confus des têtes aux grosses lèvres et des fers de lance éblouissants; la sourde mélopée battait le feuillage autour d'eux. Au centre de la clairière, d'une tour trapue faite de claies, la fumée montait, épaisse et blanche. Au sommet, quatre têtes de buffles en bois, aux cornes grandes comme des barques, se plaquaient sur le ciel; appuyé sur la hampe de sa lance miroitante, se grattant la tête et penché vers l'intérieur du bûcher, un guerrier jaune regardait, nu, le sexe dressé. Ainsi tapi, Claude était fixé à ce spectacle par les yeux, par les mains, par les feuilles qu'il sentait malgré ses vêtements, par le sentiment panique qui tombait sur lui, enfant, devant les serpents et les crustacés vivants.

Perken revenait en arrière : Claude se releva en toute hâte prêt à tirer. Dès que s'éteignit le craquement des branches, le courant de la mélopée se rétablit à travers le silence, de plus en plus faible à mesure qu'ils s'éloignaient...

Ils retrouvèrent leur caravane.

« Hop, filons ! » dit Perken, rageusement.

Les charrettes repartirent précipitamment avec un arpège d'essieux qui retentit dans chacun des muscles de Claude. Entre les arbres, quelquefois, la fumée apparaissait encore, immobile. Dès qu'ils la voyaient les indigènes tentaient de hâter encore l'allure de leurs bêtes, recroquevillés sur le timon des charrettes comme par une terreur sacrée. Parfois apparaissaient de l'autre côté d'un ravin, par grands pans, des roches orangées vers lesquelles s'élevait la marée des arbres, éclatantes sur le ciel dont l'outremer s'affaiblissait à peine. Dès qu'une nouvelle trouée les délivrait de la forêt, tous suivaient des yeux la cime des arbres lointains, craignant de découvrir un nouveau feu : rien ne troublait l'immobilité du ciel et des masses du feuillage sur lesquelles l'air chaud tremblait comme au-dessus d'une cheminée, à grandes ondes précipitées.

*
* *

La nuit et le jour, la nuit et le jour ; enfin un dernier village grelottant de paludisme, perdu dans l'universelle désagrégation des choses sous le soleil invisible. Quelquefois, de plus en plus proches, les montagnes. Les branches basses retombaient en claquant sur le toit des charrettes comme sur des caisses de résonance ; mais cette intermittente flagellation elle-même se décomposait dans la chaleur. Contre l'air suffocant qui montait du sol, subsistait seule l'affirmation du dernier guide : le monument vers lequel ils marchaient maintenant était sculpté.

Comme toujours.

Bien qu'il doutât de ce temple, de chacun de ceux vers quoi ils marcheraient, Claude restait lié à leur ensemble par une confiance trouble, faite d'affirmations logiques et de doutes si profonds qu'ils en devenaient physiques, comme si ses yeux et ses nerfs eussent protesté contre son espoir, contre les promesses jamais tenues de ce fantôme de route.

Enfin, ils atteignirent un mur.

Le regard de Claude commençait à s'habituer à la forêt ; assez près pour distinguer les mille-pattes qui parcouraient la pierre, il vit que ce guide, plus ingénieux que les précédents, les avait conduits à un affaiblissement qui ne pouvait marquer que la place de l'ancienne entrée. Comme autour des autres temples, montaient les grilles enchevêtrées des roseaux. Perken, qui maintenant n'ignorait plus la végétation des monuments, indiqua une direction : là, la masse des roseaux était moins dense : « Les dalles. » Elles conduisaient certainement au sanctuaire. Les conducteurs se mirent à l'ouvrage. Dans un bruit de papier froissé, les roseaux tranchés tombaient à droite et à gauche avec mollesse, laissant sur le sol des pointes très blanches dans la pénombre : la moelle des tiges coupées en sifflet. « Si ce temple-ci est sans sculptures et sans statues, songeait Claude, quelles chances nous restent ? Aucun conducteur ne nous accompagnera au Ta Mean, Perken, le boy et moi... Depuis que nous avons croisé les sauvages, ils n'ont qu'un désir : filer. A trois, comment manœuvrer les blocs de deux tonnes des grands bas-reliefs ?... Des statues peut-être ? Et puis, la chance... Tout ça est bête comme une histoire de chercheurs de trésors... »

Son regard quitta les éclairs des coupe-coupe et retomba sur le sol : les sections des roseaux devenaient déjà brunes. Prendre, lui aussi, un coupe-coupe et frapper, plus fort que ces paysans ! Ah ! de grands coups de faux à travers ces roseaux !... Le guide le toucha doucement pour attirer son attention : après la chute d'une dernière touffe, protégés par les pierres, rayés par quelques roseaux restés debout, les blocs qui formaient la porte se distinguaient, lisses.

Sans sculptures, encore une fois.

Le guide souriait, l'index toujours tendu. Jamais Claude n'avait éprouvé un tel désir de frapper. Serrant les poings, il se retourna vers Perken, qui souriait aussi. L'amitié que Claude lui portait se changea d'un coup en fureur; pourtant, orienté par la direction commune des regards, il détourna la tête : la porte, qui sans doute avait été monumentale, commençait en avant du mur, et non où il la cherchait. Ce que regardaient tous ces hommes habitués à la forêt, c'était l'un de ses angles, debout comme une pyramide sur des décombres, et portant à son sommet, fragile mais intacte, une figure de grès au diadème sculpté avec une extrême précision. Claude, entre les feuilles, distinguait maintenant un oiseau de pierre, avec des ailes éployées et un bec de perroquet[1] ; un épais rai de soleil se brisait sur l'une de ses pattes. Sa colère disparut dans ce minuscule espace éblouissant; la joie l'envahit, une reconnaissance sans objet, une allégresse aussitôt suivie d'un attendrissement stupide. Il avança sans y prendre garde, possédé par la sculpture, jusqu'en face de la porte. Le linteau s'était écroulé, entraînant tout ce qui le surmontait, mais les branches qui enserraient les montants restés debout, tressées, formaient une voûte à la fois noueuse et molle que le soleil ne traversait pas. A travers le tunnel, au-delà des pierres écroulées dont les angles noirs, à contre-jour, obstruaient le passage, était tendu un rideau de pariétaires, de plantes légères ramifiées en veines de sève. Perken le creva, découvrant un éblouissement confus d'où ne sortaient que les triangles des feuilles d'agave, d'un éclat de miroir; Claude franchit le passage, de pierre en pierre, en s'appuyant aux murs, et frotta contre son pantalon ses mains pour se

1. Il s'agit ici de Garouda, l'oiseau qui véhicule le dieu brahmanique Vishnu, d'après les descriptions et les photographies du temple.

délivrer de la sensation d'éponge née de la mousse. Il se souvint soudain du mur aux fourmis : comme alors, un trou brillant, peuplé de feuilles, semblait s'être évanoui dans la grande lumière trouble, rétablie une fois de plus sur son empire pourri. Des pierres, des pierres, quelques-unes à plat, presque toutes un angle en l'air : un chantier envahi par la brousse. Des pans de mur de grès violet, les uns sculptés, les autres nus, d'où pendaient des fougères ; certains portaient la patine rouge du feu. Devant lui, des bas-reliefs de haute époque, très indianisés (Claude s'approchait d'eux), mais très beaux, entouraient d'anciennes ouvertures à demi cachées sous un rempart de pierres éboulées. Il se décida à les dépasser du regard : au-dessus, trois tours démolies jusqu'à deux mètres du sol, leurs trois tronçons sortant d'un écroulement si total que la végétation naine seule s'y développait, comme fichés dans cet éboulis ; des grenouilles jaunes s'en écartaient avec lenteur. Les ombres s'étaient raccourcies : le soleil invisible montait dans le ciel. Un immobile frémissement, une vibration sans fin animait les dernières feuilles, bien qu'aucun vent ne se fût levé : la chaleur...

Une pierre détachée tomba, retentit deux fois, sourdement d'abord puis avec un son clair, appelant dans l'esprit de Claude le mot : « in-so-lite ». Plus que ces pierres mortes à peine animées par le cheminement des grenouilles qui n'avaient jamais vu d'hommes, que ce temple écrasé sous un si décisif abandon, que la violence clandestine de la vie végétale, quelque chose d'inhumain faisait peser sur les décombres et les plantes voraces fixées comme des êtres terrifiés une angoisse qui protégeait avec une force de cadavre ces figures dont le geste séculaire régnait sur une cour de mille-pattes et de bêtes des ruines. Perken le dépassa : ce monde d'abîme sous-marin perdit sa vie comme une méduse jetée sur une grève, sans force tout à coup contre deux hommes blancs. « Je vais chercher les instruments. » Son ombre s'enfonça dans le tunnel où les pariétaires déchirés pendaient.

Il semblait que la tour principale se fût écroulée tout entière d'un seul côté, car trois de ses murs étaient restés debout, à l'extrémité du plus gros amoncellement. Entre eux, le sol avait été jadis profondément creusé : les indigènes chercheurs de trésors étaient venus, après les incendiaires siamois. Au centre même de l'excavation, une termitière se dressait, pointue, couleur de ciment, abandonnée sans doute. Perken revint, une scie à métaux et un bâton à la main, un marteau sortant la tête de sa poche gauche distendue par un poids. Il en tira une masse de carrier et l'emmancha au bout du bâton.

« Svay est resté au village, comme je le lui ai dit. »

Claude avait déjà saisi la scie, dont la monture nickelée brillait sur la pierre sombre. Près d'un des murs, écroulé en escalier et dont un bas-relief était à sa portée, il hésitait.

« Qu'avez-vous ? demanda Perken.

— C'est idiot… J'ai l'impression que ça ne marchera pas… »

Il voyait cette pierre comme pour la première fois ; il ne pouvait échapper à l'idée d'une disproportion entre elle et la scie, d'une impossibilité. Il attaqua le bloc, après l'avoir mouillé. La scie pénétra dans le grès en grinçant. Au cinquième effort elle glissa ; il la sortit de l'entaille : plus une dent.

Ils possédaient deux douzaines de lames ; l'entaille était profonde d'un centimètre. Il jeta la scie et regarda devant lui : par terre, nombre de pierres portaient des fragments de bas-reliefs presque effacés. Il ne leur avait pas prêté attention encore, obsédé par les murs. Celles dont la face sculptée était tournée du côté du sol n'auraient-elles pas été protégées par la terre ?

Perken avait devancé sa pensée. Il avait appelé les conducteurs, qui firent rapidement des leviers avec de jeunes arbres et commencèrent à retourner les blocs. La pierre, lentement, se soulevait, pivotait sur l'une de ses faces et retombait avec un han ! sourd, montrant, à travers le réseau que traçait la fuite des cloportes affolés, les traces d'une figure. Sur l'alvéole laissé dans la terre, net et verni comme un moule, un nouveau bloc tombait et, une à une, les pierres montraient leurs faces rongées par le sol depuis le dernier siècle des invasions siamoises, à travers l'épouvante des insectes dont les lignes tremblantes se brisaient en se précipitant vers la forêt avec une infime frénésie. Plus les bas-reliefs montraient leurs formes ravagées, plus s'imposait de nouveau à Claude la certitude que, seules, les pierres qui formaient l'un des pans restés debout du temple principal pourraient être emportées.

Sculptées sur les deux côtés, les pierres d'angle figuraient deux danseuses[1] : le motif était sculpté sur trois pierres superposées. Celle du sommet, sous une poussée assez forte, tomberait sans doute.

« Combien ça vaut-il, à votre avis ? demanda Perken.

— Les deux danseuses ?

— Oui.

— Difficile à savoir ; en tout cas, plus de cinq cent mille francs.

— Vous êtes sûr ?

— Oui. »

Ces mitrailleuses qu'il était allé chercher en Europe, elles étaient là, dans cette forêt qu'il connaissait, dans ces pierres... Y avait-il des temples dans sa région ?

1. Banteaï-Srey, ou « citadelle des femmes », est un temple brahmanique. Les sujets de sa décoration sont en grande partie inspirés par le poème épique hindou du Ramayana. Ces danseuses sont en fait les divinités gardiennes ou *devatas*.

Peut-être pouvait-il attendre d'eux beaucoup plus que ses mitrailleuses ; ne pourrait-il pas, s'il trouvait là-haut quelques temples, intervenir à Bangkok, en même temps qu'il armerait ses hommes ? Un autre temple : dix mitrailleuses, deux cents fusils... En face de ce monument, il oubliait le grand nombre de temples sans sculpture, il oubliait la Voie... Il imaginait ses défilés, avec la ligne éclatante du soleil sur le canon des mitrailleuses, l'étincelle du point de mire.

Déjà Claude faisait dégager le sol, afin que la pierre ne se brisât pas en en rencontrant une autre. Pendant que les hommes maniaient les blocs, il la regardait : sur l'une des têtes, dont les lèvres souriaient comme le font d'ordinaire celles des statues khmères, une mousse très fine s'étendait, d'un gris bleu, semblable au duvet des pêches d'Europe. Trois hommes la poussèrent de l'épaule, en mesure : elle bascula, tomba sur sa tranche et s'enfonça assez profondément pour rester droite. Son déplacement avait creusé dans la pierre sur laquelle elle reposait deux raies brillantes, que suivaient en rang des fourmis mates, tout occupées à sauver leurs œufs. Mais cette seconde pierre, dont la face supérieure apparaissait maintenant, n'était pas posée comme la première ; elle était encastrée dans le mur encore debout, prise entre deux blocs de plusieurs tonnes. L'en dégager ? il eût fallu jeter bas tout le mur ; et si les pierres des parties sculptées, d'un grès choisi, pouvaient être à grand-peine maniées, les autres, énormes, devaient rester immobiles jusqu'à ce que quelques siècles, ou les figuiers des ruines les jetassent à terre.

Comment les Siamois avaient-ils pu détruire tant de temples ? On parlait d'éléphants, attelés à ces murs en grand nombre... Pas d'éléphants. Il fallait donc couper ou casser cette pierre pour séparer la partie sculptée, dont les dernières fourmis s'enfuyaient, de la partie brute encastrée dans le mur.

Les conducteurs attendaient, appuyés sur leurs leviers de bois. Perken avait sorti de sa poche son marteau et un ciseau : sans doute le plus sage, en effet, était-il de tracer au ciseau une étroite tranchée dans la pierre, et de la détacher ainsi. Il commença de frapper. Mais, soit qu'il employât mal l'outil, soit que le grès fût très dur, ne sautaient que des fragments de quelques millimètres d'épaisseur.

Les indigènes seraient plus maladroits que lui encore.

Claude ne quittait pas la pierre du regard... Nette, solide, lourde, sur ce fond tremblant de feuilles et de ronds de soleil; chargée d'hostilité. Il ne distinguait plus les raies, ni la poussière du grès; les dernières fourmis étaient parties, sans oublier un seul de leurs œufs mous. Cette pierre était là, opiniâtre, être vivant, passif et capable de refus. En Claude montait une sourde et stupide colère : il s'arc-bouta et poussa le bloc, de toute sa force. Son exaspération croissait, cherchant un objet. Perken, le marteau en l'air, le suivait du regard, la bouche à demi ouverte. Cet homme qui connaissait si bien la forêt ignorait tout des pierres. Ah! avoir été maçon six mois! Faire tirer les hommes, tous à la fois, sur une corde?... Autant gratter avec les ongles. Et comment passer une corde? Cependant c'était sa vie menacée qui était là... Sa vie. Tout l'entêtement, la volonté tendue, toute la fureur dominée qui l'avaient guidé à travers cette forêt, tendaient à découvrir cette barrière, cette pierre immobile dressée entre le Siam et lui.

Plus il la regardait et plus il était certain qu'il n'atteindrait pas le Ta Mean avec les charrettes; et les pierres du Ta Mean ne seraient-elles pas semblables à celles-ci? La volonté de vaincre le bouleversait comme la soif ou la faim, serrait ses doigts sur le manche du marteau qu'il venait d'arracher à Perken. De rage, il cogna sur la pierre de toute sa force; le marteau rebondit plusieurs fois avec un bruit ridicule dans le silence ; le pied-de-biche poli qui le terminait brilla en traversant un rayon de soleil. Il s'arrêta, le regard fixe, puis précipitamment, comme s'il eût craint que son idée ne lui échappât, il retourna le marteau et frappa de nouveau, à toute volée, près de l'encoche brillante laissée par le ciseau de Perken. Un morceau de plusieurs centimètres de long sauta ; aussitôt il lâcha le marteau, frotta ses paupières... Par chance, la poussière du grès seule les avait atteintes. Dès qu'il vit clair de nouveau, il sortit de sa poche ses lunettes noires et en protégea ses yeux, puis, il recommença à frapper. Le pied-de-biche était un instrument efficace : il atteignait le grès sans l'intermédiaire d'un ciseau, avec plus de force et beaucoup plus souvent. Sous chaque coup, une large écaille sautait ; dans quelques heures...

Il fallait faire couper par les indigènes les roseaux qui obstruaient tous les passages ; Perken reprit le marteau. Claude, pour préparer le chemin, s'était un peu éloigné avec les conducteurs : il entendait les coups nets, rapides et inégaux comme ceux des manipulateurs de télégraphe, qui dominaient le bruit des roseaux fauchés, humains et vains dans l'immense silence de la brousse, dans la chaleur... Quand il revint, des écailles de grès jonchaient le sol autour d'une coulée de poussière dont la couleur l'étonna : blanche, bien que le grès fût violet. Perken se retourna, et Claude vit l'entaille, claire comme la poussière, large, car il était impossible de frapper toujours au même endroit...

A son tour, il se remit au travail. Perken continua à préparer la piste, en faisant déblayer le chemin : il serait difficile de transporter les blocs ; le plus simple serait donc de les faire tourner de face en face, après en avoir écarté les cailloux. Mètre par mètre, la piste s'allongeait sous les ombres maintenant verticales ; le bruit des coups de marteau demeurait seul dans cette lumière de plus en plus jaune, ces ombres de plus en plus courtes, cette chaleur de plus en plus intense. Elle ne pesait pas sur les épaules, elle agissait comme un poison, détendant peu à peu les muscles, tirant la force avec la sueur qui coulait sur les visages et formait avec la poussière du grès, sous les lunettes noires, de longues rigoles, comme sous des yeux arrachés. Claude frappait presque sans conscience, comme marche un homme perdu dans un désert. Sa pensée en miettes, effondrée comme le temple, ne tressaillait plus que de l'exaltation de compter les coups : un de plus, toujours un de plus… Désagrégation de la forêt, du temple, de tout… Un mur de prison, et comme des coups de lime, ces coups de marteau, constants, constants.

Soudain, un vide : tout reprit vie, retomba à sa place comme si ce qui entourait Claude se fût écroulé sur lui ; il resta immobile, atterré. Perken n'entendant plus rien fit quelques pas en arrière : les deux pattes du pied-de-biche venaient de casser.

Il courut, prit le marteau des mains de Claude, songea à user ou limer en pied-de-biche la cassure, vit l'absurdité de ce projet, et, furieux, frappa la pierre à toute volée comme Claude l'avait fait tout à l'heure. Enfin il s'assit, s'efforçant de réfléchir. Ils avaient acheté plusieurs manches, par prudence, mais un seul fer…

Les réflexions qui s'imposaient, Claude les retrouvait en se délivrant de l'impression de catastrophe qui l'avait envahi : c'étaient celles qu'il avait faites avant de penser au pied-de-biche. De même que l'idée d'employer ainsi le marteau s'était imposée soudain, quelque autre idée ne s'imposerait-elle pas maintenant ? Mais la fatigue, la lassitude, un dégoût de créature exténuée le pénétraient. Se coucher… Après tant d'efforts, la forêt reprenait sa puissance de prison. Dépendance, abandon de la volonté, de la chair même. Comme si le sang, pulsation à pulsation, s'écoulait… Il s'imagina là, les bras serrés contre la poitrine comme par la fièvre, recroquevillé, perdant toute conscience, obéissant avec le sentiment d'une libération aux sollicitations de la brousse et de la chaleur ; et soudain, il trouva dans la terreur le besoin de se défendre encore. Dans l'entaille triangulaire, la poussière du grès coulait doucement, brillante et blanche comme du sel, accentuant, par sa chute de sablier, la masse de la pierre, de la pierre qui reprenait une vie indestructible, une vie de montagne : le regard en restait prisonnier. Il se sentait lié à elle par la haine comme à un être animé ; et c'était bien ainsi qu'elle gardait le passage et qu'elle le gardait lui-même, qu'elle se chargeait soudain de l'élan qui depuis des mois portait sa vie.

Il s'efforçait d'appeler à son aide son intelligence diluée dans cette forêt... Il ne s'agissait plus de vivre avec intelligence, mais de vivre. L'instinct, libéré par l'engourdissement de la brousse, le portait contre cette pierre, les dents serrées, l'épaule en avant.

Regardant du coin de l'œil l'entaille ainsi qu'il l'eût fait d'une bête aux aguets, il prit la masse de carrier et en frappa le bloc, après une sorte de moulinet de tout son corps. La poussière du grès recommença de couler. Il la regarda, fasciné par sa ligne brillante ; sa haine se concentrait sur elle, et sans la quitter du regard, il frappa à grands coups, le buste et les bras liés à la masse, oscillant sur les jambes comme un lourd balancier. Il n'avait plus de conscience que dans les bras et les reins ; sa vie, l'espoir de sa dernière année, le sentiment d'un échec, se confondaient en fureur et ne vivait plus que dans le choc frénétique qui l'ébranlait tout entier, et le délivrait de la brousse comme un éblouissement.

Il s'arrêta. Perken venait de se courber devant l'angle du mur.

« Attention : la pierre que nous attaquons est *seule* encastrée. Voyez celle du dessous : elle n'est que posée, comme l'était celle du dessus : il faut d'abord la dégager. Ensuite, celle-ci sera en porte à faux, et comme l'entaille ne lui a fait aucun bien… »

Claude appela deux des Cambodgiens et tira de toute sa force la pierre du dessous, tandis qu'ils la poussaient. En vain : la terre, et, sans doute, des petits végétaux, la retenaient. Il savait que les temples khmers n'ont pas de fondations ; il fit aussitôt creuser une petite tranchée autour d'elle, puis au-dessous, pour la dégager. Les paysans, qui avaient travaillé très vite et très habilement lorsqu'ils avaient creusé autour de la pierre, travaillaient maintenant avec lenteur : ils craignaient que le bloc ne leur broyât les mains. Il les remplaça. Quand le trou fut assez profond, il fit couper quelques troncs et plaça des étais ; l'odeur de la terre moite, des feuilles pourries, des pierres lavées par les pluies, plus forte que jamais, imprégnait ses vêtements de toile trempés.

Enfin, Perken et lui purent extraire la pierre : elle bascula, montrant sa face inférieure couverte de cloportes incolores qui, fuyant les coups, s'étaient réfugiés sous elle.

Ils possédaient maintenant les têtes et les pieds des danseuses. Les corps restaient seuls sur la seconde pierre dégagée, qui sortait du mur comme un créneau horizontal.

Perken prit la masse et recommença de frapper la pierre supérieure. Il avait espéré qu'elle céderait au premier coup, mais il n'en était rien, et il continuait à frapper, mécaniquement, repris par la fureur… Une seconde, il vit ses défilés sans mitrailleuses ravagés, bouleversés comme par le passage des éléphants sauvages. Des coups répétés, de la perte de sa lucidité, un plaisir érotique montait, comme de tout combat lent ; ces coups, de nouveau, l'attachaient à la pierre…

Soudain — différence de son sous le coup — sa respiration se suspendit ; il arracha ses lunettes : une vision brouillée, bleue et verte, se précipita en lui ; mais, tandis que ses paupières battaient, une autre vision s'imposait, plus forte que celle de tout ce qui l'entourait : la cassure ! Le soleil scintillait sur elle ; la partie sculptée, portant, elle aussi, sa cassure nette, gisait dans l'herbe comme une tête tranchée.

Il respira enfin, lentement, profondément. Claude, lui aussi, était délivré ; plus faible, il eût pleuré. Le monde reprenait possession de lui comme d'un noyé ; la stupide gratitude qu'il avait connue en découvrant la première figure sculptée l'envahissait à nouveau. En face de cette pierre tombée, la cassure en l'air, un accord soudain s'établissait entre la forêt, le temple et lui-même. Il imagina les trois pierres, superposées : deux danseuses parmi les plus pures qu'il connût. Il fallait maintenant les charger sur les charrettes... Sa pensée ne s'en libérait pas ; endormi, il se fût réveillé pour peu qu'on les transportât. Sur la piste préparée, les indigènes, maintenant, poussaient les trois blocs l'un après l'autre. Il regardait cette possession durement acquise, écoutant le choc amorti des faces qui, une à une, aplatissaient les tiges des roseaux, et comptant, à demi conscient, les chocs successifs, comme un avare de l'argent.

Les indigènes s'arrêtèrent devant l'éboulis de la porte. Les bœufs, de l'autre côté, ne meuglaient pas, mais on les entendait gratter la terre du sabot. Perken fit couper deux troncs d'arbre, entoura de cordes l'une des pierres sculptées et la fixa au tronc, que six indigènes placèrent sur leur épaule ; ils furent incapables de la soulever. Claude en remplaça deux, l'un par le boy, l'autre par lui-même.

« Levez ! »

Les porteurs se redressèrent, tous ensemble cette fois, lentement, dans un absolu silence.

Une branche craqua, puis plusieurs autres, une à une ; le bruit des craquements s'approcha. Claude s'était arrêté et regardait la forêt, mais, une fois de plus, ne distinguait rien. Un habitant curieux du dernier village ne se fût pas caché… Svay, peut-être ?… Claude fit signe à Perken qui prit sa place sous le tronc, puis avança vers le lieu d'où les bruits étaient venus, en sortant son revolver. Les indigènes, qui avaient entendu le craquement de la gaine, puis, écho affaibli, le déclic du cran d'arrêt libéré, regardaient sans comprendre, inquiets. Perken, cessant de soutenir le tronc de ses mains, le laissa peser de tout son poids sur son épaule et sortit, lui aussi, son revolver. Claude, déjà entré sous les arbres, ne voyait qu'une ombre plus ou moins dense tachée çà et là de toiles d'araignées. Vouloir trouver là un indigène, familier avec la forêt, était folie. Perken n'avançait pas. A deux mètres au-dessus de la tête de Claude des branches s'abaissèrent puis se relevèrent d'un coup, élastiques, libérant des boules grises qui s'abattirent sur d'autres branches auxquelles elles firent décrire une grande courbe : des singes. Claude, furieux et délivré à la fois, se retourna, croyant trouver partout des rires ; mais aucun indigène ne riait ; Perken non plus. Claude alla vers lui :

« Des singes !

— Pas seuls : les singes ne font pas craquer les branches. »

Claude remit son revolver dans sa gaine : geste vain dans le silence retombé, sur toutes les vies unies en l'étouffante gangrène de la forêt.

Il revint vers le groupe immobile, et reprit sa place sous le tronc. En quelques minutes l'éboulis fut franchi. Il fit approcher les charrettes le plus près possible, si bien que Perken dut ordonner aux conducteurs de reculer pour pouvoir manœuvrer. Attentifs aux mouvements de leurs petits buffles, ils regardaient les pierres sculptées, sur lesquelles se croisaient les cordes, avec une grande indifférence.

Il resta le dernier. Les charrettes couvertes plongeaient lentement dans le feuillage, d'un mouvement saccadé, comme des barques sur la mer. Les essieux, à chaque tour de roue, grinçaient ; un coup étouffé, à intervalles réguliers... Quelque souche, chaque fois qu'une charrette passait ? A peine regardait-il le trou qu'avait laissé leur passage dans la verdure, la jonchée des roseaux dont quelques-uns, mal écrasés, se redressaient lentement, et la giclure que faisait toujours, en s'écrasant sur la cassure du mur, le rayon de soleil qui avait brillé sur le pied-de-biche. Il sentait chacun de ses muscles se détendre et la fatigue rejoindre en lui la chaleur, la somnolence et la fièvre. La forêt, la force des lianes et des feuilles spongieuses s'affaiblissaient pourtant : ces pierres conquises le défendaient contre elle. Sa pensée n'était plus là : elle était enchaînée au mouvement qui poussait en avant les charrettes alourdies. Elles s'éloignaient en grinçant, avec un son nouveau, né de leur charge, vers les montagnes prochaines. Il secoua sa manche sur laquelle étaient tombées des fourmis rouges, sauta à cheval et rejoignit le convoi. Au premier espace libre il dépassa les charrettes, l'une après l'autre : les conducteurs somnolaient toujours.

III

La nuit, enfin : une étape de plus vers les montagnes, les charrettes dételées, et, sous le toit de la sala*, comme dans une poche, possédées, les pierres. Un délassement de bain... Claude marchait entre les pilotis qui

* L'abri des voyageurs

soutenaient les paillotes. Protégées par un petit toit de chaume, devant de sauvages bouddhas de glaisc, des baguettes brûlaient, points roses dans la grande lumièrc de la lune. Sur le sol, une ombre dépassa ses pieds, s'approcha de la sienne en silence. Il se retourna ; le boy qui venait derrière lui s'arrêta, noir et net sur les feuilles de bananiers presque phosphorescentes.

« Missié, Svay parti.

— Sûr ?

— Sûr

— Bon débarras. »

Le boy aux pieds nus disparut, comme s'il se fût confondu avec la lumière imprégnant la clairière. « Il n'est décidément pas sans qualités », pensa Claude.

De toute évidence, Svay obéissait à des ordres... Combattre un ennemi connu n'était pas pour déplaire à Claude ; dans un conflit précis, il retrouvait son acharnement. Il s'étendit dans la sala où Perken dormait déjà couché sur le ventre, les mains à demi ouvertes.

Il ne pouvait calmer la surexcitation que lui causait sa possession. L'éclat de la lune semblait donner aux voix des paysans une longue résonance ; elles devinrent de plus en plus rares.

Le murmure d'un conteur, et, quelquefois, une rumeur venaient encore de la paillote du chef du village ; il cessa lui aussi, et le silence tropical s'établit, lié à l'air saturé de lune, troublé de loin en loin par un cri solitaire de coq qui se perdait dans une paix de planète éteinte.

Au milieu de la nuit, un bruit confus l'éveilla. Très faible, si faible qu'il s'étonna qu'il eût troublé son sommeil ; comme de ramures traînées au ras du sol. Son premier regard fut pour les pierres, qu'il avait fait placer entre le lit de camp de Perken et le sien. Des pirates n'auraient pas choisi, pour attaquer un village, le moment où s'y trouvaient des blancs[1]. Sa fatigue et sa paresse diminuaient à mesure qu'il s'éveillait. Il fit quelques pas devant la sala, mais ne vit que le village endormi et son ombre, longue et bleue… Recouché, il demeura près d'une heure l'oreille au guet ; sous le vent mou de la nuit, l'air palpitait comme une eau. Plus rien que quelques mugissements, de plus en plus rares, de bœufs mal éveillés… Enfin, il se rendormit.

Il trouva en s'éveillant au lever du soleil une des joies les plus complètes qu'il eût connues. L'acharnement qui depuis des mois le poussait furieusement vers une action si incertaine était justifié. Il sauta du plancher à terre, sans emprunter l'échelle, et se dirigea vers le seau d'eau auprès duquel se tenait le boy rayé de haut en bas, comme un forçat, par les ombres des branches.

« Mssié, dit celui-ci à mi-voix, pas moyen trouver charrettes dans village. »

Claude, par un instinct de défense, voulut faire répéter la phrase, mais s'aperçut aussitôt que c'eût été bien inutile :

« Où ça charrettes du village ?

— Forêt, sûr. Parties cette nuit.

— Svay ?

— Personne autre moyen faire ça. »

Impossible de relayer. Sans charrettes, pas de pierres. Ce bruit de ramures, cette nuit…

« Et nos charrettes, à nous ?

— Conducteurs, sûr pas vouloir aller plus loin. Moi moyen demander ? »

Claude courut à la sala et éveilla Perken qui sourit en voyant les pierres.

« Svay a filé cette nuit avec les charrettes du village et leurs conducteurs. Donc, impossible de relayer. Et

1. Ces régions au nord d'Angkor étaient effectivement très peu sûres, lieux de meurtres, de rapines, de traite d'esclaves.

les conducteurs avec lesquels nous sommes venus vont vouloir regagner leur village, naturellement. Mais éveillez-vous donc ! »

Perken se plongea la tête dans l'eau ; au loin, des singes crièrent.

Il s'épongea et revint vers Claude qui, assis sur un lit, semblait compter sur ses doigts :

« Première solution : aller chercher les types qui ont filé…

— Non.

— Un seau d'eau fait faire de grands progrès à la lucidité ! Obliger nos propres conducteurs à continuer.

— Non. Un otage, peut-être…

— C'est-à-dire ?

— Garder l'un d'eux à vue et annoncer aux autres qu'il sera fusillé si nous sommes abandonnés. »

Xa revenait, avec un visage d'enfant vieillot et sérieux, deux casques à la main : le soleil, déjà, atteignait leur tête.

« Mssié, moi allé voir : conducteurs à nous partis aussi.

— Quoi ?

— Moi dire eux pas partis parce que moi voir charrettes. Charrettes à nous pas parties ; charrettes villages seulement parties. Mais conducteurs partis tous. »

Claude marcha vers la paillote derrière laquelle les charrettes s'étaient rangées hier soir au retour du temple ; elles étaient là, près des petits bœufs attachés. Svay avait-il craint, en venant les chercher si près de la sala, de réveiller les blancs ?

« Xa ? Toi savoir conduire charrette ?

— Sûr, Mssié. »

Le village était désert. Quelques femmes seulement. Abandonner les chevaux, conduire chacun une charrette ? Il ne s'agissait que de laisser les bœufs suivre ceux qui les précédaient, conduits, eux, par Xa. Trois charrettes en tout. C'était peu. Et abandonner les chevaux… En cas d'attaque, comment se défendre, d'une charrette ? Il fallait toute l'exaltation que lui imposait la volonté de continuer, d'avancer toujours, contre la forêt et contre les hommes, pour combattre l'appauvrissement qui montait de cet abandon et commençait à rendre sa puissance à la brousse matinale.

« Xa, cria Perken, où ça guide ?

— Lui foutu le camp, Mssié… »

Plus de guide. Traverser les montagnes, trouver le col, et le trouver seuls ; puis dans les derniers villages aux paysans impaludés au-dessus de qui tourneraient, le soir, des colonnes de moustiques denses comme les rayons du soleil, vivre, trouver des conducteurs, continuer enfin…

« Nous avons la boussole, dit Claude, et Xa. Les chemins sont si rares qu'ils sont sans doute visibles…

— Si vous voulez à toute force finir sous la forme d'un petit tas grouillant d'insectes, le moyen ne me paraît pas mauvais. Mettez votre casque sur votre tête au lieu de le garder à la main, le soleil monte… »

« Essayons », avait envie de répondre Claude. Mais, malgré sa volonté d'échapper à ce village dont les habitants semblaient avoir fui devant une invasion, à cette clairière cernée de grands troncs que grandissait encore la lumière matinale, il hésitait. Il continuerait d'avancer, de quelque façon que ce fût, cela seul était certain. Comment ?

« Dans cette région, reprit Perken, bien des hommes connaissent le chemin des montagnes. Je vais aller avec Xa au petit village sans sala, Také, que nous avons vu avant d'arriver ici. Inutile d'espérer des conducteurs. Mais j'amènerai un guide : je ne crois pas que Svay soit passé là. »

Déjà, le boy préparait les selles.

Les deux silhouettes durement secouées par le trot des petits chevaux s'enfonçaient dans la tranchée de feuilles, comme des mineurs dans la terre ; noires, elles apparaissaient soudain en vert, de loin en loin, lorsque quelque rayon de soleil s'écrasait sur la piste… « S'ils trouvent un guide aussitôt, pensa Claude, s'ils le font courir, ils seront de retour à midi… Oui, *s'ils trouvent un guide...* » Svay aurait-il fait déserter Také[1] comme il avait fait déserter ce village ?

Les échelles avaient été rentrées dans les paillotes. A travers le tremblement de l'air, tout commençait à s'agiter de l'imperceptible transe que déclenche la venue de la grande chaleur… Il alla s'étendre sur son lit de camp, le menton dans les mains. Un guide, jusqu'aux montagnes ?… De tous les côtés de la clairière, autour du trou de lumière frémissante et des constructions humaines, la forêt s'étendait, immobile et mouvante à la fois. A sa surface, la lumière parcourue de lents frissons se décomposait en moire ; elle le pénétrait jusqu'à la stupeur, chacune de ses ondes venant mourir, tiède et souple, sur sa peau en sueur ; il sombra dans une rêverie voilée de grandes taches de sommeil.

Le pas lointain et précipité des chevaux l'éveilla. Onze heures. Ce guide courait singulièrement vite… Il écouta, lcs sourcils froncés, sans souffle. Le bruit montait de la terre : les chevaux, dans la profondeur des feuilles, galopaient… Un homme ne peut pas, après deux heures de course, suivre des chevaux qui galopent. Pourquoi ce retour si rapide ? Il s'efforça en vain d'entendre un bruit de pas ; rien que le grand silence de la clairière, un bourdonnement fin d'insectes au ras de terre et, au loin, le son saccadé des sabots…

1. Sur la carte du Cambodge, on trouve, à une vingtaine de kilomètres à l'est des ruines de Banteaï-Srey, le village de Takhé.

Il courut au chemin. Tac, tacatac, tac... les chevaux approchaient. Enfin, il distingua des ombres, soulevées et abaissées par le galop : puis, les deux cavaliers traversant une tache de soleil, il les vit nettement, penchés sur le cou des chevaux, le casque en arrière ; personne ne courait entre eux. Il eut l'impression, non d'un effondrement mais d'une décomposition lente, fade, irrésistible... Les deux hommes, redevenus des ombres, traversèrent un autre rayon et furent éclairés de nouveau : Xa de plus en plus penché, deux taches blanches sur les épaules — des mains — se détachait sur une forme vague : un homme était en croupe derrière lui.

« Alors ?

— Ça se présente mal ! »

Perken sauta de cheval.

« Svay ?

— Il fait bien son métier. Il est allé là-bas, il a réquisitionné ceux qui connaissent les cols pour les emmener vers le sud.

— Mais ce type que vous ramenez ?

— Il connaît le chemin des villages moïs.

— Quelles sont les tribus, par là ?

— Les Ke-diengs des Stiengs[1]. Il n'y a pas d'autre solution.

1. Ces Stiengs « qui s'appellent Ke-dieng ou Se-dieng forment une puissante et guerrière famille, aux villages nombreux et peuplés, composés de maisons sur pilotis. Ils habitent tout l'hinterland de la haute Cochinchine et du Cambodge sud-oriental » (*Mission Henri Maître (1909-1911), Indochine sud-centrale : les Jungles moïs*, p. 407). C'est la tribu moï qui joue le rôle le plus important dans le roman. Pour les nécessités de l'histoire, l'auteur a recours à ce peuple réputé brutal et connu comme chasseur d'esclaves et il opère un déplacement de leur localisation vers le nord-est du Cambodge, près de la frontière laotienne, ce qui rend plus vraisemblable la menace d'une pénétration du Siam, en rivalité avec la France dans cette région. En réalité, les Stiengs étaient installés à l'extrémité sud de la chaîne annamite, au sud-est de Banteaï-Srey.

— Que de passer tout de suite en pays dissident ?

— Oui. En suivant la Voie, nous avons encore une partie inconnue, une partie soumise, et une partie dissidente. Dans la partie soumise, Dieu sait ce que peut inventer l'administration française !

— Ramèges va devenir furieux dès qu'il va savoir que nous avons trouvé.

— Donc, il faut abandonner le grand col et passer en dissidence. Ce guide connaît les sentiers qui mènent au premier village Stieng, celui où se font les échanges ; de là au Siam, par les petits cols.

— Nous partons vers l'Ouest ?

— Oui.

— Donc, vous ne connaissez pas ces Stiengs ?

— Mais il faut évidemment choisir la région où se trouve Grabot. Le guide sait seulement qu'il y a un blanc par là. Mais il comprend le dialecte Stieng. Au village, nous changerons de guide — puisqu'il faut faire officiellement demander le passage aux chefs, nous verrons bien ce qu'ils répondront… — J'ai encore deux thermos pleines d'alcool et les verroteries, c'est plus que ne vaut, un passage… Je ne les connais pas, mais je pense qu'eux savent qui je suis. Si Grabot ne veut pas que nous allions où il est, il enverra un guide pour nous faire passer par un détour quelconque…

— Vous êtes sûr qu'ils nous laisseront passer ?

— Nous n'avons pas le choix. Puisque de toute façon nous devons aller chez des insoumis, un peu plus tôt, un peu plus tard… Le guide dit que ceux-ci sont des guerriers ; mais qu'ils reconnaissent le serment de l'alcool de riz… »

Le Cambodgien trapu, le nez courbé comme celui des Bouddhas, venait de quitter le cheval, et, les mains croisées, attendait. Quelque part, on affilait un coupe-coupe sur une pierre, pour ouvrir des noix de coco sans doute. Xa prêta l'oreille. Le bruit cessa : par les trous des claies, les femmes inquiètes, la prunelle agile, observaient les blancs.

« Qu'est-il venu faire ici, Grabot ?

— De l'érotisme[1], d'abord (bien que les femmes de cette région soient beaucoup plus moches que celles du Laos) : le pouvoir doit se définir pour lui par la possibilité d'en abuser…

— Intelligent ? »

Perken se mit à rire mais s'arrêta aussitôt comme si le son de son rire l'eût surpris.

« Quand on le connaît, la question est comique, et pourtant… Il n'a jamais réfléchi qu'à lui-même, qu'à ce qui l'isole plutôt, mais comme d'autres pensent au jeu ou au pouvoir… Ce n'est pas quelqu'un, mais c'est sûrement quelque chose. A cause du courage, il est beaucoup plus séparé du monde que vous ou moi parce qu'il n'a pas d'espoir, même informe, et que le goût de l'esprit, aussi affaibli qu'il soit, relie à l'univers. Il m'a dit un jour, parlant des "autres", de ceux pour qui les hommes comme lui n'existent pas, des "soumis" : "On ne les atteint jamais qu'à travers leur plaisir ; il faudrait inventer quelque chose comme la syphilis." Il est arrivé aux bataillons plein d'enthousiasme à l'égard des bataillonnaires qu'il ne connaissait pas encore. Sur le bateau, une toile séparait "les nouveaux" des récidivistes et des évadés repris. Une toile avec deux ou trois trous. Il commence à regarder, et se retire brusquement : quelque chose arrive comme un coup : un doigt tendu avec un ongle rongé encore pointu, fort apte à crever son autre œil… C'est un homme réellement *seul*, —

1. Malraux donne à tous ses aventuriers marginaux, insoumis, solitaires, non pas des relations amoureuses, mais un érotisme lié à une volonté de puissance (*cf.* Perken pp. 28, 84-85, 119).

et comme tous les hommes seuls, obligé de meubler sa solitude, ce qu'il fait avec le courage… Je voudrais vous expliquer… »

Il réfléchissait.

« Si tout cela est exact, pensait Claude, il ne peut vivre que sur quelque chose d'indiscutable, qui lui permette de s'admirer… »

Le bruissement d'ailes des insectes errait à travers le silence. Un cochon noir avança lentement, comme s'il eût pris possession du village muet.

« Voici à peu près ce qu'il me disait : "Te faire casser la gueule, tu t'en fous ou tu ne t'en fous pas. Je joue une belote que les autres ne jouent pas parce que, crever, ça leur fout la trouille. Pas à moi : ça sera très bien ; et pas trop tôt, vu qu'il n'y a guère que ça que je sois foutu de bien faire. Et depuis que je me fous de crever, que ça me plaît plutôt, tout peut se faire : si les choses vont mal elles ne peuvent toujours pas aller plus loin que mon revolver… Suffit d'en finir…" Et il est réellement très brave. Il se sent peu intelligent, grossier dès qu'il retourne dans les villes ; alors, il compense : il est dans le courage comme dans une espèce de famille… A risquer sa vie, il trouve le plaisir que nous trouvons tous, mais plus aigu parce que plus nécessaire. Et il est capable d'aller, plus loin que le risque, il a le goût d'une sorte de grandeur haineuse, rudimentaire, mais tout de même peu commune : je vous ai raconté comment il a perdu son œil… Partir seul, absolument seul dans cette région, cela demande aussi un certain cran… Vous ne connaissez pas la piqûre du scorpion noir ? Moi, je connais les mèches : le scorpion est plus douloureux, ce n'est pas peu dire. Pour avoir éprouvé une violente répulsion nerveuse en en voyant un, il est allé se faire piquer exprès. Se refuser sans réserves au monde, c'est toujours se faire souffrir terriblement pour se prouver sa force. Il y a dans tout cela un immense orgueil primitif, mais à quoi la vie et pas mal de souffrance ont fini par donner une forme... Pour aider un copain dans une histoire absurde, il a failli être boulotté par les fourmis (moins impressionnant qu'il ne semble d'abord, à cause de sa théorie du revolver).

— Vous ne croyez pas que l'on puisse toujours se tuer ?

— Il n'est peut-être pas plus difficile de mourir pour soi-même que de vivre pour soi-même, mais je me méfie... C'est quand on déchoit qu'il faut se tuer, mais c'est quand on déchoit qu'on aime de nouveau la vie... Mais lui le croit, c'est l'important.

— S'il était mort ? »

Les paillotes étaient de plus en plus closes.

« On aurait vendu des objets européens, le guide le saurait comme tous ceux qui vont au village du troc. Je l'ai interrogé : on n'a rien vendu. Officiellement, c'est aux chefs indigènes que nous demanderons le passage, en tout état de cause... »

Il regarda autour de lui.

« Des femmes, rien que des femmes... Un village de femmes... ça ne vous touche pas, cette atmosphère où il n'y a rien de masculin, toutes ces femmes, cette torpeur si... si violemment sexuelle ?

— Vous vous exciterez plus loin : d'abord, partir. »

Le boy réunit les bagages dans une charrette et attela les bœufs. Les attelages, l'un après l'autre, s'arrêtèrent devant la sala ; les pierres furent descendues, non sans peine, sur le lit pliant de Claude. Enfin les charrettes se mirent en marche. Le guide conduisait la première, Xa la seconde. Claude, allongé dans la troisième, laissait aller ses bœufs plus qu'il ne les guidait ; Perken, à cheval, fermait la marche. Le cheval de Claude que le boy avait mis en liberté, suivait lentement, la tête baissée. Sa docilité éclaira le Danois. « Le plus sage, pensa-t-il, est de ne pas l'abandonner. » Et il l'attacha par la bride à la dernière charrette, devant lui. Au moment où la courbe du chemin allait faire disparaître le village, il se retourna : quelques claies étaient tombées et des visages de femmes les regardaient, perplexes et curieux.

TROISIÈME PARTIE

I

Cette dissidence à demi sauvage était aussi douteuse, aussi menaçante que la forêt. Au village du troc, plus pourri que les temples, les derniers Cambodgiens, terrorisés, éludaient toutes les questions sur les villages, sur les chefs, sur Grabot… (Il semblait pourtant qu'ils eussent entendu parler de Perken.) Plus rien de la nonchalance voluptueuse du Laos et du bas Cambodge : la sauvagerie avec son odeur de viande. Enfin, contre les deux bouteilles d'alcool européen, les messagers annoncèrent que le passage et un guide étaient accordés. Restait à savoir par qui ; mais, depuis qu'ils montaient vers le centre stieng, une plus grave inquiétude pesait sur eux. Perken venait d'arrêter Claude, d'un coup de poing sur le bras.

« Regardez à vos pieds. Sans bouger. »

A cinq centimètres de son pied droit, deux morceaux de bambou extrêmement affilés[1] sortaient, en pointes de fourche.

1. Malraux emprunte la description de ces lancettes de bambou, la manière d'éviter cette arme défensive, l'effet des blessures qu'elle

Perken tendit un doigt.

« Quoi encore ? »

Il sifflait entre ses dents, sans répondre ; il lança en avant sa cigarette. Après une courbe très rouge dans l'air verdâtre épaissi par la fin du jour, elle atteignit l'humus : à côté, deux nouvelles pointes.

« Qu'est-ce que c'est que ces trucs-là ?

— Les lancettes de guerre. »

Claude regardait le Moï qui les attendait, — ils avaient changé de guide au village — appuyé sur son arbalète.

« Il n'aurait pas dû nous prévenir, celui-là ?

— Ça va mal... »

Ils reprirent leur marche, traînant les pieds au ras du sol, derrière la tache jaunâtre du guide dont Claude ne voyait plus que le pagne d'une saleté sanglante : ni tout à fait animal, ni tout à fait humain. Chaque fois que le pied, au lieu de racler le sol, devait se lever — souches, troncs — les muscles de la jambe se contractaient, dans la crainte d'un pas trop rapide ; relié au danger par eux, Claude tombait à une vie d'aveugle. A ses yeux presque inutiles, quelque effort qu'il fît, se substituait son odorat que frappaient des bouffées d'air chaud imprégnées d'humus, angoissantes : comment voir les lancettes, si les feuillcs pourries envahissaient le sentier ? Dépendance d'esclave, jambes liées... Il se défendait contre cette marche prudente, mais ses mollets contrastés étaient plus forts que son esprit.

« Et nos bœufs, Perken ? S'il en tombe un...

— Pas grand danger : ils sentent les pointes beaucoup mieux que nous. »

provoque, au journal d'Odend'hal. L'explorateur fut lui-même blessé au cours d'une de ses missions et transporté, à la manière de Perken plus loin, sur un palanquin improvisé dont les heurts lui causaient de terribles douleurs.

Monter dans les charrettes, qui suivaient sous la seule direction de Xa ? C'eût été par trop se priver de défense en cas d'attaque…

Ils traversèrent le lit à nu d'une rivière, reposant comme une halte avec ses cailloux qui ne pouvaient rien dissimuler : à quelques mètres, trois Moïs debout sur le talus d'argile, l'un au-dessus de l'autre, les regardaient, fixés dans une immobilité inhumaine comme si elle ne fût pas venue d'eux-mêmes, mais du silence.

« Si ça tourne mal, nous aurons aussi des ennemis dans le dos. »

Les trois sauvages les suivaient du regard, toujours immobiles : un seul portait une arbalète. La sente était devenue moins obscure, les arbres plus clairsemés : il fallait toujours marcher avec soin, mais l'obsession s'affaiblissait.

Enfin la lumière des clairières parut au bout de la sente.

Le guide s'arrêta devant de minces lianes de rotin tendues à hauteur du cou, et les détacha. Leurs petites épines brillaient dans le soleil et s'y perdaient ; Claude ne les avait pas vues. « Filer d'ici, si ça va mal, ne sera pas très facile », pensa-t-il.

Le Moï replaçait avec soin les scies.

A travers la clairière, aucun sentier. Pourtant un au moins en partait : celui qu'ils avaient suivi, et qui continuait au-delà. Malgré son calme, cette clairière où ils devaient dormir vivait d'une vie de piège ; une moitié envahie déjà par l'ombre, l'autre éclairée par la lumière très jaune qui précède le soir. Pas de palmes ; l'Asie n'était présente que par la chaleur, les dimensions colossales de quelques arbres aux troncs rouges et la densité du silence, à quoi le crissement des myriades d'insectes et, parfois, le cri solitaire d'un oiseau qui s'abattait sur l'une des plus hautes branches, donnaient une étendue solennelle. Il se refermait sur ces cris perdus comme une eau dormante ; là-haut, la branche se balançait lentement, presque noyée dans la confusion du soir, tandis qu'au-delà de toute cette végétation sans pistes ni traces qui dévalait vers des profondeurs cachées par la brume, des montagnes se détachaient sur le ciel déjà mort. Comme les tarets[1] dans les arbres géants, les Moïs combattaient ici avec des objets fins et meurtriers ; dans ce recueillement, leur vie souterraine et leur inexplicable prudence devenaient plus menaçantes pour trois hommes sans escorte, conduits par un guide librement envoyé, il n'était pas besoin de lancettes et de rotins ; pourquoi protéger ainsi cette clairière ? « Grabot ne veut-il rien négliger pour assurer sa liberté ? » pensa Claude ; comme si la rareté de la pensée en ce lieu l'eût rendue immédiatement communicable, Perken devina la question :

« Je suis persuadé qu'il n'est pas seul…

— C'est-à-dire ?

— Pas seul *chef*. Ou alors, il aurait été tellement pris par la sauvagerie… »

Il hésita. Le mot sembla s'étendre à travers la solennité végétale, justifié presque aussitôt par le guide accroupi qui grattait, à son genou, la plaque blanche d'une maladie de peau.

« …qu'il serait tout à fait transformé… »

Encore l'inconnu. L'expédition les jetait sur cet homme comme sur la ligne invisible de la Voie royale. Lui aussi les séparait de leur destin. Il leur avait pourtant accordé le passage…

Les photos rapportées de Bangkok par Perken vivaient en Claude avec l'autorité de la hantise : un costaud jovial, borgne, promenant à travers la brousse et

1. La présence de ces mollusques, qui creusent des galeries en principe dans les bois immergés, donne une idée du degré d'humidité dont sont imprégnés « les arbres géants » de la forêt.

les bars chinois du Siam son casque en arrière et son gros rire, bouche ouverte et sourcils levés. Il connaissait ces visages où l'expression de l'enfant reparaît sous la brutalité de l'homme, dans le rire, dans les yeux ronds de l'étonnement, dans les gestes : casque enfoncé d'une grande tape, jusqu'aux oreilles, sur la tête d'un copain ou sur celle d'un ennemi… Que restait-il, ici, de l'homme des villes ? « A moins qu'il n'ait été pris par la sauvagerie… »

Claude chercha le guide : il chantait une mélopée qu'écoutait Xa, près des bœufs immobiles ; les feux allumés pour la nuit crépitaient à petits coups, non loin des lits dressés sous les moustiquaires (pas de tente à cause de la chaleur).

« Retire les moustiquaires, dit Perken.

— C'est bien assez que ce sacré feu nous mette en pleine lumière. Essayons au moins de voir ceux qui nous attaqueraient ! »

La clairière était vaste, et toute attaque eût dû traverser d'abord un terrain découvert.

« S'il y a quelque chose, celui qui veille descend le guide, et nous filons derrière ce buisson de droite, pour échapper à la lumière…»

— Même vainqueurs, sans guide… »

Tout ce qui pesait sur eux semblait réuni sous la main de Grabot, comme un verrou.

« Que pensez-vous qu'il fasse, Perken ?

— Grabot ?

— Naturellement !

— Si près de lui, de ce que nous attendons de lui, je me méfie de mes prévisions… »

Le feu crépitait toujours ; la flamme, au contraire, montait droite et claire, presque rose, n'éclairant que les volutes saccadées de sa fumée, dessinant des reflets dans la masse du feuillage qui ne se distinguait plus qu'à peine du ciel. En face de l'enjeu qu'il avait engagé, il ne connaissait pas cet homme.

« Malgré les fléchettes, vous croyez qu'il va nous laisser passer ?

— S'il est seul, oui.

— Et vous êtes sûr qu'il ne connaît pas l'importance de ces pierres ? »

Perken haussa les épaules :

« Inculte. Moi-même…

— S'il n'est pas seul, son compagnon ?

— Ce n'est certainement pas un blanc. Et le loyalisme est fort, parmi ceux qui osent monter par ici. Je lui ai rendu des services, à Grabot… »

Il réfléchit, regardant les herbes du sol :

« Je voudrais savoir contre quoi il se défend… c'est avec ses vieux rêves, avec sa déchéance que l'on chauffe ses passions…

— Reste à savoir lesquelles.

— Je vous ai parlé d'un homme qui se faisait attacher, nu, par des femmes, à Bangkok… C'était lui. Ce n'est pas tellement plus absurde que de prétendre coucher et vivre — et vivre — avec une autre créature humaine… Mais lui en est atrocement humilié…

— De ce qu'on le sache ?

— On ne le sait pas. De le faire. Alors, *il compense.* C'est sans doute pour cela surtout qu'il est venu ici… Le courage compense… Et pour que les petites hontes ne pèsent pas lourd, il suffit même de ceci… »

Comme si la faible ampleur des gestes humains eût été inconciliable avec cette immensité, il désignait du menton la clairière et la fuite des monts dans l'ombre. Du mur d'arbres aux lointains qui se confondaient avec la nuit, du ciel où apparaissaient les étoiles plus claires que le feu à la grande forêt primitive, la force lente et démesurée de la chute du jour accablait Claude de solitude, rendait à sa vie son caractère traqué. Elle le submergeait comme une invincible indifférence, comme la certitude de la mort.

« Je comprends qu'il se fiche de la mort...

— Ce n'est pas d'elle qu'il n'a pas peur, c'est d'être tué : la mort, il l'ignore. Ne pas craindre de recevoir une balle dans la tête, la belle affaire ! »

Et, plus bas :

« Dans le ventre, c'est déjà plus inquiétant... Ça dure... Vous savez aussi bien que moi que la vie n'a aucun sens : à vivre seul on n'échappe guère à la préoccupation de son destin... La mort est là, comprenez-vous, comme... comme l'irréfutable preuve de l'absurdité de la vie...

— Pour chacun.

— Pour personne ! Elle n'existe pour personne. Bien peu pourraient vivre... Tous pensent au fait de... ah ! comment vous faire comprendre ?... d'être tué, voilà. Ce qui n'a aucune importance. La mort c'est autre chose : c'est le contraire. Vous êtes trop jeune. Je l'ai comprise d'abord en voyant vieillir une femme que... enfin une femme. (Je vous ai parlé de Sarah, d'ailleurs...) Ensuite, comme si cet avertissement ne suffisait pas, quand je me suis trouvé impuissant pour la première fois... »

Paroles arrachées, n'arrivant à la surface qu'en rompant mille racines tenaces. Il continuait :

« *Jamais devant un mort*... Vieillir, voilà, vieillir. Surtout lorsqu'on est séparé des autres. La déchéance. Ce qui pèse sur moi c'est, — comment dire ? — ma condition d'homme : que je vieillisse, que cette chose atroce : le temps, se développe en moi comme un cancer, irrévocablement... Le temps, voilà.

— Toutes ces saletés d'insectes vont vers notre photophore, soumis à la lumière. Ces termites vivent dans leur termitière, soumis à leur termitière. Je ne veux pas être soumis. »

La forêt avait trouvé dans le vaste mouvement du soir son intime correspondance ; la vie sauvage de la terre montait avec la nuit. Claude ne pouvait plus interroger : les mots qui se formaient en son esprit passaient au-dessus de Perken comme d'une rivière souterraine. Séparé, par toute la forêt, de ceux pour qui existent raison et vérités, cet homme, en face de lui, cherchait-il une assistance humaine contre ses fantômes serrés près de lui dans l'obscurité ? Il venait de tirer son revolver : une faible lueur glissa sur le canon.

« Toute ma vie dépend de ce que je pense du geste d'appuyer sur cette gâchette au moment où je suce ce canon. Il s'agit de savoir si je pense : je me détruis, ou : j'agis. La vie est une matière, il s'agit de savoir ce qu'on en fait — bien qu'on n'en fasse jamais rien, mais il y a plusieurs manières de n'en rien faire… Pour vivre *d'une certaine façon*, il faut en finir avec ses menaces, la déchéance et les autres : le revolver est alors une bonne garantie, car il est facile de se tuer lorsque la mort est un moyen… C'est là qu'est la force de Grabot… »

La nuit tout à fait venue plongeait jusqu'aux plus lointaines terres de l'Asie, rétablie avec le silence sur les solitudes. Au-dessus du petit bruit des feux, les voix des deux indigènes montaient, claires et monotones mais sans portée, prisonnières ; tout près d'eux, un solide réveille-matin battait avec précision le silence sans fin de la brousse. Plus que les feux, plus que les voix, ce tic-tac rattachait Claude à la vie des hommes, par sa constance, par sa netteté, par ce qu'a d'invincible tout objet mécanique. Sa pensée émergeait, mais nourrie des profondeurs dont elle s'échappait, dominée encore par la puissance du surnaturel qui montait de la nuit et de la terre brûlée, comme si tout, jusqu'à la terre, se fût imposé de le convaincre de la misère humaine.

« Et l'*autre* mort, celle qui est en nous ?

— Exister contre tout cela (Perken montrait du regard la menaçante majesté de la nuit), vous comprenez ce que cela veut dire ? Exister contre la mort, c'est la même chose. Il me semble parfois que je me joue moi-même sur cette heure-là. Et peut-être que tout va se régler bientôt, par une flèche plus ou moins dégoûtante…

— On ne choisit pas sa mort…

— Mais d'accepter même de perdre ma mort m'a fait choisir ma vie. »

La ligne rouge qui suivait l'épaule bougea : sans doute avait-il avancé la main. Geste infime, comme cette petite tache humaine aux pieds perdus dans l'ombre, avec sa voix saccadée dans l'immensité pleine d'étoiles. Cette voix seule, entre le ciel éblouissant et la mort et les ténèbres, venait d'un homme, mais avec quelque chose de si inhumain que Claude se sentait séparé d'elle comme par une folie commençante.

« Vous voulez mourir avec une conscience intense de la mort, sans… faiblir ?…

— J'ai failli mourir : vous ne connaissez pas l'exaltation qui sort de l'absurdité de la vie, lorsqu'on est en face d'elle comme d'une femme dé… »

Il fit le geste d'arracher.

— Déshabillée. Nue, tout à coup… »

Claude ne pouvait plus détacher son regard des étoiles :

« Nous manquons presque tous notre mort…

— Je passe ma vie à la voir. Et ce que vous voulez dire — parce que, vous aussi, vous avez peur — est vrai : il se peut que je sois moins fort que la mienne. Tant pis ! Il y a aussi quelque chose de… satisfaisant dans l'écrasement de la vie…

— Vous n'avez jamais songé réellement à vous tuer ?

— Ce n'est pas pour mourir que je pense à ma mort, c'est pour vivre. »

Cette tension de la voix n'était celle d'aucune autre passion : une joie poignante, sans espoir, comme une épave tirée de profondeurs aussi lointaines que celle de l'obscurité.

II

Encore des heures de marche, depuis le réveil, entre les fléchettes de guerre devenues moins nombreuses et les sangsues ; de temps à autre, le grand cri des singes se répercutait en cascade jusqu'au fond de la vallée, coupé par le choc assourdi des roues des charrettes contre les souches.

Ils commençaient à voir le village stieng, au bout de la sente, comme dans un rond trouble de jumelles. Il avait envahi sa clairière. Claude regardait ses remparts de bois comme une arme inconnue : ces poutres dressées en barrière, et qui cachaient la forêt (ils étaient maintenant tout près) témoignaient avec violence d'une force que suggéraient jusqu'à l'angoisse les seuls objets surgis au-dessus du rempart : un tombeau orné de fétiches en plumes, et un énorme crâne de gaur*[1]. La lumière de la grande chaleur luisait en moire sur les cornes, comme si la forêt disparue derrière la haute barricade n'eût laissé à sa place que ces objets insolites encastrés dans le ciel libéré des feuilles. Le guide dépla-

* Aurochs de l'Asie méridionale.

1. Ce crâne, totem qui domine le village, va jouer un rôle important par la suite.

ça encore quelques lianes de rotin et les retendit derrière les charrettes.

Le portail était entrouvert ; ils entrèrent. Le Moï qui le gardait le referma derrière eux de la crosse de son fusil : « Voilà qui vient de Grabot, enfin ! » dit Claude. « Le levier du fusil n'est pas abaissé », pensa Perken ; mais le son de bois du portail refermé le poussa en avant.

A droite des huttes trapues disposées presque au hasard, enfoncées à demi dans le sol comme les bêtes de la forêt ; des petits chiens abandonnés sur un monceau de détritus jappaient ; hommes et femmes regardaient, les yeux au bord des claies, à l'affût.

Le guide les dirigeait vers une case plus haute que les autres, dressée au centre d'un espace vide auprès de la perche qui supportait le gaur ; elle pesait sur cette solitude pleine d'hommes, autant que les vastes cornes pointées vers le ciel comme des bras dressés. Maison commune ou maison de chef : Grabot, peut-être, sous ce toit de palmes, sous ces cornes... Il les avait protégés jusqu'ici, puisqu'ils étaient vivants. A la suite du guide, ils grimpèrent à l'échelle, entrèrent et s'accroupirent.

Ils ne distinguaient rien encore, mais ils sentaient qu'aucun blanc n'était là. Perken se releva, s'accroupit un peu plus loin, se tournant d'un quart, comme par déférence. Claude l'imita : devant eux maintenant — derrière eux tout à l'heure — au fond de la case, une dizaine de guerriers se tenaient debout, armés de la courte arme des Stiengs, mi-sabre, mi coupe-coupe. L'un d'eux se grattait, et Perken, avant de le voir, avait entendu le crissement des ongles.

« Libérez votre cran d'arrêt », dit-il très rapidement, à voix basse.

Il ne pouvait être question du colt que Claude portait à sa ceinture ; il entendit un déclic très léger, et vit Perken tirer de sa poche quelques-unes de ses verroterics. Il leva aussitôt, au fond de sa poche, le cran de son petit browning — lentement, pour qu'on l'entendît le moins possible — et sortit des perles bleues. Déjà Perken avait étendu la main, et les transmettait, jointes aux siennes, avec des phrases en siamois que traduisait le guide.

« Regardez, Claude, au-dessus du vieux qui doit être le chef. »

Une tache claire dans l'ombre : une veste blanche d'Européen. « Grabot doit être par là. » Le vieux chef souriait, les lèvres distendues sur les gencives ; il leva deux doigts. « On va apporter la jarre[1] », dit Perken.

Le soleil pénétrait en triangle dans la hutte ; il coupait le vieillard de l'épaule à la hanche, sa tête d'eunuque laissée dans l'obscurité, la saillie des clavicules et des côtes très accusée. Son regard allait des blancs à l'ombre du crâne projetée devant lui, les cornes emmêlées par la perspective, mais d'une netteté de coupures. Elle se mit à trembler comme si un soudain bruit de choc, qui arrivait, l'eût secouée : une jarre apparut au-dessus de l'échelle, un roseau dans son col, deux mains aux doigts allongés — respectueux — sur les côtés, comme des anses. Posée sur ces deux poignets verticaux elle semblait offerte à l'ombre encore frémissante, comme pour l'apaiser. Encore de légers chocs : le porteur, qui sans doute avait heurté la perche au passage, cherchait les échelons. Il sortit enfin de terre, couvert des haillons bleus des Cambodgiens (le chef moï même n'était vêtu que du pagne), lent et droit, et abaissa la jarre devant lui jusqu'au sol, avec une mystérieuse prudence. Xa venait de crisper ses doigts sur le genou de Claude.

« Qu'est-ce qui te prend ? »

1. Pour le serment de loyalisme : boire à la même jarre. Les jarres sont, par ailleurs, les objets les plus précieux des villages stiengs.

Le boy posait une question en cambodgien : le porteur de jarre se tourna vers lui, et aussitôt, avec violence, du côté du chef.

Les ongles serraient la chair.

« Lui… lui… »

Claude comprit soudain que l'homme était aveugle ; mais il y avait autre chose.

« Kmer-mieng ! cria Xa à Perken.

— Esclave cambodgien. »

L'homme replongeait vers le village, coupé par le plancher de la case ; Claude attendit un nouveau choc, comme s'il eût dû, en s'en allant, heurter à nouveau la perche. Mais l'attente de tous ces hommes inquiets, le silence même semblaient suspendus à la main du chef levée solennellement sur la jarre. Il l'abaissa et aspira l'alcool par le chalumeau de roseau, les yeux fermés. Il passa le chalumeau à Perken, puis à Claude, qui le prit sans dégoût : l'inquiétude était trop forte. Le regard mobile de Perken qui tentait de voir ce qui se passait au-dehors, l'accentuait :

« L'absence de Grabot m'embête terriblement. Nous nous engageons, et il ne s'engage pas, à l'égard des Moïs, j'ai confiance en lui, mais quand même…

— Mais eux… s'engagent… ou non ?

— Aucun n'oserait trahir l'alcool de riz. Mais si lui ne s'est pas engagé à leurs yeux, Dieu sait !… »

Il parla siamois, le guide traduisit ; le chef répondit une seule phrase.

Cette réponse avait intéressé singulièrement les hommes du fond, toujours immobiles, sauf lorsqu'ils se grattaient : Claude les distinguait enfin, l'œil attiré par les traces blanches des maladies de peau sur leur corps. Tous, maintenant, regardaient attentivement.

« Il dit qu'il n'y a pas de chef blanc », traduisit Perken.

Son regard rencontra de nouveau la veste.

« Je suis sûr qu'il est là !... »

Claude se souvenait du fusil et regardait, lui aussi, la veste. Ses ombres semblaient doubles : d'un côté l'ombre véritable, de l'autre la poussière.

« La veste n'a pas été mise depuis longtemps », dit-il à mi-voix, comme s'il eût craint d'être compris.

Peut-être la poussière s'amoncelait-elle très rapidement ? Pourtant, le plancher était propre ; les chandeliers-fétiches aussi. Il était peu probable que Grabot se vêtît ici comme à Bangkok ; mais la phrase que Perken avait dite dans la clairière retomba sur Claude, comme si elle eût été depuis quelques minutes suspendue dans cette case : « A moins qu'il n'ait été pris par la sauvagerie... » Pourquoi se cachait-il, substituant à sa présence l'attention de ces hommes, lourde comme celle des animaux ?

Perken, de nouveau, parlait au chef. La conversation fut très courte.

« Il dit qu'il est d'accord, ce qui ne signifie absolument rien. Réellement, je me méfie... Par prudence, j'ai dit que nous repasserions par ici, et lui apporterions des gongs et des jarres[1], en plus des thermos d'alcool que je vais lui donner : il aurait de meilleures raisons de nous assassiner à notre retour... Il ne me croit pas... Il y a quelque chose qui cloche. Il faut absolument mettre la main sur Grabot ! En face, il n'oserait pas... »

Il se levait : les pourparlers étaient terminés. Il atteignit l'échelle, contournant l'ombre du crâne comme s'il en eût craint le contact. Le guide les conduisit à une case vide.

Le village revenait peu à peu à la vie : des claies étaient abaissées ; des hommes aux pagnes ou aux haillons bleus — les esclaves — s'affairaient autour de

1. Jarres et gongs constituent en effet les principales richesses des familles moï ; elles accompagnaient les cérémonies et les fêtes.

la case qu'ils venaient de quitter, avec une agitation retenue d'aveugles. Perken avançait, mais son regard restait fixé sur eux. L'un commençait à traverser l'espace vide où eux-mêmes s'étaient engagés ; leurs routes pouvaient se croiser. Perken s'arrêta, prit son pied dans sa main comme si quelque épine l'eût blessé ; il le regardait de près ; pour assurer son équilibre, il. s'appuya sur Xa.

« Quand nous allons rencontrer celui-là, demande-lui quelle est la case du blanc. *Quelle est la case du blanc.* Pas d'autre mot. Compris ? »

Le boy ne répondait pas ; l'esclave les avait presque rejoints : pas le temps d'expliquer une seconde fois. Il était à portée des voix… Manqué ? Non : presque poitrine contre poitrine, le boy parlait. Le visage de l'autre était tourné vers le sol : il répondait à voix basse lui aussi. « Croit-il répondre à un autre esclave ? » Perken voulut se rapprocher de Xa, le faire traduire en hâte, le toucher, et faillit tomber de son long : il avait oublié qu'il tenait encore son pied. Le boy avait vu le mouvement maladroit, et bien qu'il se fût un peu éloigné, tendit les bras. Perken lui agrippa le poignet. « Alors ? » Xa le regardait avec le regard inquiet et résigné des indigènes habitués aux folies des blancs, stupéfait de son âpreté, de sa voix assourdie comme si quelqu'un eût pu les entendre et les comprendre, sur cette place de terre battue que tachaient seulement l'esclave qui avait repris sa marche et un chien qui filait vers l'ombre.

« Près des bananiers. »

Pas d'équivoque : il n'y avait dans la clairière qu'une seule touffe de bananiers, à demi sauvages ; près d'eux, une grande case. Claude revenait sur ses pas, intrigué, devinant vaguement ce qui se passait.

« L'esclave dit qu'il est dans cette case.

— Grabot ? Quelle case ? »

Par prudence, Perken l'indiquait du doigt, la main contre la hanche.

« Nous y allons ?

— Un instant : dételons nos bœufs. Ensuite nous aurons l'air de tomber là-bas par hasard… enfin, selon le plus de hasard possible… »

Ils rejoignirent le guide. Devant la case qui leur était assignée, Xa commença à dételer.

« Ça suffit, Perken. Maintenant, filons !

— Si vous voulez. »

Malgré leurs détours, la case aux bananiers les attirait avec violence. Qu'ils perdissent leur temps en discussions ou non, ils étaient à la merci de Grabot. S'ils devaient s'entendre, le plus tôt serait le mieux.

« Si ça tourne mal ? demanda Claude.

— Je le descends. C'est notre seule chance. En forêt dans sa région, nous sommes foutus… »

Grabot connaissait à coup sûr les revolvers dont on se sert à travers le pantalon… Ils étaient arrivés. Une case sans fenêtre, fermée par une porte rudimentaire, non par une claie. Un loquet poussé *de l'extérieur.* « Il y a sans doute une autre ouverture ? » Un chien commença à hurler derrière la case. « S'il continue à gueuler ainsi, pensa Perken, ils vont tous arriver. » Il poussa le loquet et tira la porte à lui en hésitant, de crainte qu'elle ne fût fermée aussi de l'intérieur ; elle vint, aussi lente qu'il était inquiet, à cause du jeu du bois pendant les grandes pluies.

Une clochette tintait. Tombant du toit, une barre de soleil oblique, aux atomes serrés, d'un bleu foncé ; des masses d'ombre tournaient autour comme autour d'un essieu, se montant et descendant. La plus haute se précisa : une traverse horizontale qui de profil devint nette. Quelque chose, au bout, la tirait. Elle pivotait autour d'un grand baquet, d'une cuve… Elle tournait vers eux, perdant sa forme à mesure qu'elle s'éloignait de la projection éblouissante de l'ouverture plaquée sur la poussière du sol autour de leurs silhouettes enchevêtrées, aux longs troncs et aux courtes jambes. Et toute la machine apparut enfin dans le rectangle de soleil qui tombait de la porte : une meule. Le tintement s'arrêta.

Perken avait reculé pour mieux voir en gagnant l'ombre, et Claude le suivait de côté, en crabe, incapable à la fois de rester où il était et de détourner son regard, pour marcher, de la lumière[1] qui pénétrait dans la case comme un bloc de pierre. Mais Perken reculait toujours. Recul terrifié : Claude devinait la crispation de ses doigts qui cherchaient à s'accrocher, la stupeur d'un homme qui chavirait : il ne disait rien, ne bougeait plus. Attaché à la meule, il y avait un esclave. De la barbe sur le visage. Un blanc ?

Couvrant le hurlement du chien, Perken cria une phrase, si vite que Claude ne la comprit pas ; il recommença aussitôt, haletant :

« Qu'est-ce qu'il est arrivé ? »

L'esclave se rejeta en avant, dans l'obscurité, avec un frémissement aux épaules. La clochette sonna encore, un seul coup, comme un timbre ; mais l'homme s'arrêta.

« Grabot ? » gueula Perken.

L'épouvante et l'interrogation de la voix s'écrasaient sur le visage tourné vers eux. Claude cherchait les yeux, mais ne distinguait que la barbe et le nez. L'homme tendit la main ouverte, les doigts écartés, cherchant à prendre quelque chose ; il la laissa retomber contre sa cuisse avec un bruit de chair. Il était attaché par des courroies de cuir. « Aveugle ? » se demandait Claude incapable de prononcer le mot, d'interroger Perken.

1. La scène, longuement préparée, joue tout entière sur des effets d'ombres et de lumières qui contribuent à son intensité dramatique.

Ce visage de souillures était tourné vers eux, cependant. Vers eux, ou vers la lumière ? Claude ne trouvait pas ce regard qu'il cherchait, mais Perken avait dit que Grabot était borgne, et l'homme se tenait de trois quarts, non de face — vers la porte.

« Grabot !… »

Espoir de ne pas avoir de réponse, et pourtant…

L'homme dit quelques mots, d'une voix au timbre faux.

— *Was* ? cria Perken, suffoquant.

— Mais il n'a pas parlé allemand !

— Non, moï : c'est moi qui… Quoi ? Quoi ? ! »

L'esclave tenta d'avancer vers eux, mais les courroies le fixaient à l'extrémité de la traverse, et chaque mouvement le poussait dans l'orbe de la meule, à droite ou à gauche.

« Fais le tour, bon Dieu ! »

Aussitôt, les deux blancs sentirent que ce qu'ils redoutaient le plus était l'approche de cet être. Ni répulsion, ni crainte : une terreur sacrée, l'horreur de l'inhumain que Claude avait connue devant le bûcher. Mais, comme tout à l'heure, il avança de deux pas (encore la clochette), s'arrêta de nouveau.

« Il a pourtant compris », murmura Claude.

Il avait compris cette phrase aussi, malgré le ton très bas.

« Qu'est-ce que vous êtes ? » dit-il enfin en français, de sa voix sans accord.

Un désespoir de muet étreignit Claude, pressé par le multiple sens de la question : répondre des noms, Français, blancs, ou quoi ?

« Bande de vaches ! » bégaya Perken. L'interrogation qu'il avait mise jusque-là dans tous ses mots, même dans l'ordre de faire le tour, était partie de sa voix pleine de haine. Il s'approcha et dit son nom ; Claude voyait distinctement les deux paupières tendues, collées sur un os absent. Toucher cet homme pour que quelque chose, enfin, le reliât à lui ! Comment extraire une pensée de ce visage effacé sous ces paupières aux rides verticales, sous cette saleté terrible ? Perken avait crispé ses mains aux épaules de l'autre.

« Quoi ? Quoi ? »

L'homme ne tournait pas son visage vers Perken, si près de lui, mais vers la lumière. Ses joues se contractèrent : il allait encore parler. Claude guettait cette voix, terrifié par ce qu'il attendait d'elle. Enfin :

« … Rien… »

L'homme n'était pas fou. Il avait traîné ce mot, comme s'il cherchait encore ; mais ce n'était pas un homme qui ne se souvenait pas, ni qui ne voulait pas répondre : c'était un homme qui disait *sa vérité*. Et pourtant (Claude ne pouvait ne pas se souvenir de : « Suffit d'en finir ») c'était un mort. Il fallait ramener quelque chose dans ce cadavre, comme dans un noyé qu'on masse…

La porte se referma en claquant. Coupées par ce rayon de cachot, les ténèbres retombèrent sur eux. Claude n'était que question : les Moïs — les mêmes Moïs — étaient là, autour de lui. Il prit conscience de cette obscurité de prison, se jeta sur la porte qu'il ouvrit d'un coup, se retourna : comme à leur arrivée, l'homme frappé par le jour avait fait un pas en avant avec sa clochette, avec sa secousse de bête terrorisée : son réflexe était lié à la lumière et la voix mêlées. Perken prit le bâton, tombé dans le rectangle de soleil après le geste de Claude : c'était un caveçon, une branche terminée par une pointe de bambou semblable aux lancettes de guerre. Son regard chercha aussitôt les épaules de l'homme ; mais il était tourné vers eux. Il sortit son couteau, coupa les sangles : la lame pénétrait mal dans les nœuds grossiers, bosselés mais habiles, et il coupait le plus loin possible des bras. Il fut obligé de se rapprocher, de couper le trait. L'autre, libéré, ne bougeait pas.

« Tu peux avancer ! »

Il partit en avant, le long du mur, suivant son ancien chemin, tirant des reins ; il faillit tomber. Perken, sans savoir pourquoi, le fit tourner d'un quart, le poussa vers la porte. Il s'arrêta encore : il découvrait la liberté dans ses épaules. Il étendit aussitôt la main en avant : son premier geste clair d'aveugle. Perken reposa sa main, trop libre depuis qu'il avait fini de couper, sur la traverse ; elle rencontra l'intolérable clochette. Il trancha son attache et la jeta à travers la porte, à la volée. A son tintement sur le sol, l'homme ouvrit la bouche, de stupéfaction sans doute : mais le regard de Perken avait suivi le son : à quelques mètres dehors, des Moïs tentaient de voir l'intérieur de la case. Nombreux : au-dessus des corps penchés, plusieurs rangs de têtes.

« D'abord, sortir d'ici ! dit Claude.

— Faites les premiers pas les yeux fermés ! Sinon, vous allez hésiter à cause du passage à la grande lumière et ils sont fichus de vous tomber dessus. »

Fermer les yeux, en cet instant ? il eut l'impression qu'il ne les eût plus jamais rouverts. Il se jeta en avant en regardant le sol, toute sa force tendue pour ne pas s'arrêter. La ligne des Moïs recula : un seul était resté. « Le maître de l'esclave », pensa Perken. Il alla vers lui :

« Phya », dit-il. Le Moï balança ses épaules, puis s'écarta.

« Qu'avez-vous dit ?

— Phya, chef, c'est le mot qu'employait toujours l'interprète. Peut-être reculer pour mieux sauter… Et l'autre, bon sang ! »

L'aveugle était au seuil de la case, plus terrible dans la lumière du jour : il ne les avait pas suivis. Perken revint et le prit sous le bras.

« A notre case. »

Les Moïs les suivaient.

III

Dans la case du chef, personne ; au mur, dans l'ombre, la veste blanche. Les Moïs les entouraient en demi-cercle, à quelque distance ; Perken reconnut le guide.

« Où est le chef ? »

Le Moï hésitait à répondre, comme si les hostilités eussent été déjà ouvertes. Il se décida pourtant.

« Parti. Reviendra ce soir.

— C'est faux ? demanda Claude à Perken.

— Filons à notre case, d'abord ! »

Chacun prit Grabot sous un bras.

« Non, je ne crois pas que ce soit faux : mes questions relatives au chef blanc l'ont inquiété… En un tel moment, il ne peut être parti que par prudence, pour appeler à l'aide, éventuellement, les villages voisins…

— En somme, c'est un guet-apens ?

— Les choses se compliquent d'elles-mêmes… »

Ils se parlaient à travers le profil mort de Grabot.

« Le plus sage ne serait-il pas de partir avant son retour ?

— La forêt est pire qu'eux… »

Partir aussitôt : abandonner les vivres et les pierres… Sans guide, la mort était certaine.

Ils avaient atteint leur case.

Xa les regardait avec épouvante, mais presque sans étonnement.

« Attelons-nous ? » demanda Claude.

Perken regarda la hauteur du rempart de bois, et haussa les épaules.

— Ils se réunissent…

Les Moïs ne les suivaient plus. Déjà d'autres les rejoignaient, armés. Et une fois de plus, comme si rien n'eût pu vaincre les formes de la forêt refoulée, Claude entra dans le monde des insectes : des cases plantées au hasard, silencieuses et apparemment abandonnées tout à l'heure, les Moïs sortaient sans qu'il vît par où, se coulaient dans le sentier avec leurs gestes précis de guêpes, avec leurs armes de mantes[1]. Arbalètes et lances se détachaient sur le ciel, parfois, avec une précision d'antennes ; les hommes continuaient à arriver sans cris, sans autre bruit que le grattement des pas dans les buissons. Le beuglement d'un porc noir emplit la clairière, retomba ; le silence se fondit une fois de plus dans le soleil, et l'écoulement des hommes, là-bas, domina de nouveau la place.

Les blancs et Xa étaient entrés dans leur case, emportant armes et cartouches. Ils voyaient encore les charrettes, qu'une pierre dépassait. Quelle défense attendre de cette case sur pilotis fermée sur trois côtés, ouverte devant eux ? Par terre, une claie : ils la dressèrent aussitôt ; haute d'un mètre, elle ne les protégeait qu'à mi-corps. Aux premières flèches, il faudrait se coucher. Ils étaient là comme à l'intérieur d'une baraque foraine ; dans le grand rectangle libre, au-delà de la place abandonnée, les départs, les arrivées des Moïs passaient sur les morceaux de remparts, entre les cases et les arbres

1. Après la forêt, ce sont maintenant les Moïs qui tiennent le rôle d'opposants aux héros ; ils sont assimilés à leur tour, dans cette page, « au monde des insectes ».

cultivés. Devant, déserte, toute la place se débattait contre le silence ennemi.

« Ecoute, Grabot, toi qui les connais : nous sommes dans la case qui est à droite de celle du chef. Ils ont l'air de commencer à se remuer. Que vont-ils faire ? »

« Réponds, quoi ! Tu as bien compris? »

Silence. Un moustique bourdonna dans l'oreille de Perken, qui se gifla, exaspéré. Enfin, cette voix :

« Qu'est-ce que ça peut foutre ?...

— Tu veux rester ici ? »

Il fit « non » de la tête, absurdement. Sans regard qui soutînt la négation, le mouvement du cou était animal comme un mouvement de taureau, comme l'expression de sa voix si peu humaine.

« Qu'est-ce que ça peut foutre, maintenant ?

— Maintenant que tu es... que...

— Maintenant que tout, quoi !...

— Ça peut s'arranger...

— Et leurs vaches de chiens à qui ils ont fait bouffer mon œil, on les arrangera ? »

Des lignes pointues parurent, dépassant l'ouverture : de nouvelles lances, au fond de la place.

« On est avec qui dans la case ? Y a toi, l'autre qu'est sûrement un petit jeune ; et l'autre ?

— Le boy.

— C'est tout ? Et eux, ils sont autour ?

— Je ne vois que la place. »

De deux coups de couteau, il fit de minces trous dans la paroi :

« Il n'y en a pas des autres côtés.

— Ça viendra... A la nuit, ils n'ont qu'à allumer là-dessous... C'est presque comme ça que ça m'est arrivé... Pour ce que ça peut foutre !... »

Silence. La hachure des lances avait disparu : là-bas, les guerriers s'étaient accroupis...

« Comment en tirer quelque chose ? se demandait Claude.

— Vous tenez à crever ici ? »

Il secouait ses poings, ces poings que Grabot ne voyait pas — prisonnier cette fois de son univers de formes comme l'autre de sa tête murée. Comment convaincre un aveugle ? Il ferma ses propres yeux, serrant ses paupières, cherchant d'autres mots ; mais Grabot répondait :

« Si vous en descendez un, passez-le-moi... Attaché... »

Claude épiait une lance qui venait de reparaître, mais le dernier mot fut si saisissant qu'il l'abandonna : féroce, venu d'un tel abîme d'humiliation — non pas bestial, atroce avec simplicité. Cette âme que dans la case rien n'avait pu appeler ne revenait-elle que pour être la conscience de la plus atroce déchéance ? Et ces rêves de supplices, les doigts réunis de cette main, crispés en pointe, tous les ongles ensemble, sur quel œil à écraser ? Elle tremblait au bout du bras : rien sur le visage, mais les doigts des pieds se recroquevillaient. Ce corps savait parler — dès que s'était ouverte la case de la meule, cette main tendue pour manger, ce dos habitué au caveçon — et seulement de ce qu'il avait souffert ; son langage de chair était si puissant que Claude oublia, une seconde, que c'était eux que les supplices attendaient, de l'autre côté. Ils ne pouvaient rien contre le feu. Rien. Le cri d'un paon s'éleva, perdu dans le calme intense du ciel : les Moïs accroupis eussent semblé somnolents sans leurs regards de chasseurs ; et sur tous ces regards l'air se tendait à l'extrême, comme un épervier immobile dans le ciel. Tant que le jour durerait...

« Vous croyez qu'ils mettront le feu, Perken ?

— Pas de doute. »

L'autre ne parlait plus.

« Ils attendent quelque chose : ou l'arrivée du chef, ou le soir. Ou les deux… Tu peux être sûr qu'ils ont confiance. »

Claude crut d'abord que Perken avait parlé à Grabot, à cause du tutoiement.

« Alors, est-ce qu'il ne vaudrait pas mieux tirer dessus, et tâcher de gagner la porte ? Nous avons pas mal de cartouches… Une chance sur cent, je sais bien… Peut-être auront-ils assez la frousse pour…

— Au deuxième type descendu, tous les autres seront embusqués, d'abord ; ensuite, plus de pourparlers possibles. On ne sait jamais… ils pensent que nous avons rompu le serment du riz en cherchant Grabot, mais ils ne doivent pas en être très sûrs ; il faut voir… Enfin, ils sont encore plus forts en forêt qu'ici.

— Crever pour crever, autant en descendre quelques-uns. En voilà deux qui s'amènent par ce trou-ci et quatre… cinq, oh ! six, huit, c'est tout ? de l'autre côté. Ça s'annonce bien. Et si on essayait de filer par là ? Après tout, la barricade…

— La forêt ! »

Claude se tut à nouveau. Perken écoutait : un son de chaudron roulé arrivait jusqu'à eux :

« Ils ne tenteront pas l'incendie avant la nuit, reprit-il. Notre seule chance, c'est de filer à la tombée du jour. Combattre en profitant de la nuit, avant que…

— J'aurais tout de même un sacré plaisir à en descendre quelques-uns ! Celui qui se balade là-bas tout seul, mon revolver en dresse les oreilles… Tu es sûr qu'il ne faut pas s'occuper de lui ? »

Il montra la place des balles dans le chargeur.

« Il en restera, toujours deux…

— Ouai ?… »

C'était Grabot. Une voix, une voix seule, pouvait donc à ce point exprimer la haine. Cet homme qui était là avec eux. Et il n'y avait pas que la haine, il y avait aussi la certitude. Claude, atterré, le regardait : cette peau décolorée d'homme de cave, mais ces épaules de lutteur… Une puissante ruine. Et il avait été plus que courageux. Celui-là aussi pourrissait sous l'Asie, comme les temples… L'homme qui avait osé détruire l'un de ses yeux, tenter de pénétrer seul, sans garanties, en une telle région. « Ça n'ira toujours pas plus loin que mon revolver… » L'épouvante rôdait auprès de lui, en cette seconde, autant qu'auprès des Moïs.

« Bon Dieu, il n'est pourtant pas impossible de…

— Con ! »

Bien plus que l'injure et même que la voix, la tête ravagée de Grabot disait : on ne peut pas quand c'est inutile, et quand c'est nécessaire il arrive qu'on ne puisse plus. « … Suffit de vouloir[1]… » Il s'agissait d'une chose où lui, Claude, avait très peu de place… La main en dehors, le canon tourné vers sa tête, il éleva son revolver, bien qu'il sentît son absurdité, qu'il sût que s'il avait tiré, il aurait tourné l'arme, au dernier moment, contre Grabot, pour supprimer ce visage, cette haine, cette présence — pour chasser cette preuve de sa condition d'homme, comme l'assassin qui coupe son doigt révélateur. Il sentit soudain le poids du revolver et laissa retomber sa main : l'absurdité se retirait de lui avec une puissance de flot ; sur ses débris, les ombres sinistres du bout de la place, les lances et les cornes sauvages plaquées sur le ciel semblèrent pour la première fois sans force. Un instant. Il suffit qu'un Moï se levât : il faillit tomber, s'accrocha à son voisin qui cria : le son étouffé par la distance traversa lentement la clairière, et la libéra de son aspect d'embuscade pétrifiée. De l'autre côté, les Moïs devenaient plus nom-

1. Allusion à la discussion que les deux hommes ont eue sur le suicide et sur la résolution de Grabot « d'en finir », si c'était nécessaire (p. 118).

breux ; mais accroupis ou en mouvement, armés d'arbalètes ou de lances, ils s'arrêtaient toujours à la lisière de la place, serrés, grouillants près de cette ligne mystérieuse, tels des chiens ou des loups, comme si quelque pouvoir occulte leur interdît de la franchir. Le temps seul vivait, écrasant, sur cette place vide : les minutes étaient prisonnières de ce cercle de brutes qui prenait un caractère d'éternité comme si rien ne dût plus arriver par le monde qui pût franchir leurs têtes, comme si vivre, subir les heures — et celle qu'annonçait la décoloration du ciel, cette tombée du soir qui précéderait de peu l'incendie — n'eût été pour les blancs que subir de plus en plus irrécusablement l'oppression de cette barrière de vies dressée devant celle des pieux géants, que comprendre davantage quelle préparation à l'esclavage était cet emprisonnement. Traqués : comme les têtes des fauves à l'affût, celles-ci ne vivaient que par les regards, qui convergeaient sur la case comme sur le centre d'un piège. Claude ne fixait pas une tête dans le rond des jumelles qu'il n'en rencontrât aussitôt les yeux ; la lorgnette abaissée, ces regards de brutes avides se perdaient dans l'éloignement ; mais il restait en face de ces paupières plissées, de ces cous tendus de chiens.

De nouveaux guerriers venaient de paraître, appuyés sur leurs arbalètes, comme si leurs compagnons se fussent dédoublés : ils avançaient en fourmis, toujours le long de la ligne mystérieuse, vers la gauche. La paroi de la case les masquait : Perken la troua : presque sous ses yeux, un tombeau surmonté de deux grands fétiches à dents : homme et femme, tenant à pleines mains leur sexe peint en rouge ; au-delà, une case. Les Moïs, sans nul doute, avançaient derrière cette case qu'ils allaient occuper : mais des claies ayant été posées sur ses ouvertures, elle demeurait sans mouvement. La ligne des Moïs disparaissait derrière elle comme dans une trappe : et ce remous qui peu à peu allait s'approcher se dirigeait, dès qu'ils cessaient de le voir, vers cette façade bourdonnante et murée comme un nid de guêpes, au-delà de ces deux sexes de bois où s'encastraient des doigts recroquevillés.

Cette façade aussi vivait, sournoise, immobile, chargée de tout ce qu'elle cachait, de ces sous-hommes qui disparaissaient derrière elle, tout à coup transformés en néant menaçant…

« A quoi ça peut-il bien les avancer ? chuchota Claude. A se rapprocher ?

— Ils ne seraient pas si nombreux… »

Perken reprit les jumelles ; presque aussitôt il fit de la main un geste dans l'air, comme pour appeler Claude, mais ramena sa main afin que la jumelle ne bougeât pas. Puis il la lui passa :

« Regardez les coins.

— Alors ?

— Plus bas, près du plancher.

— Qu'est-ce qui vous inquiète ? Les machines qui passent ou les espèces de trous ?

— C'est la même chose : les machines sont des arbalètes, les trous sont là pour en passer d'autres.

— Et alors ?

— Il y en a plus de vingt.

— Quand nous tirerons, ce ne sont pas les claies qui protégeront les bonshommes !

— Ils sont couchés : nous perdrons beaucoup de balles. Et d'ailleurs, il fera nuit. Eux nous verront parce que cette case-ci brûlera, mais nous ne verrons presque rien.

— Alors pourquoi tant d'histoires ? Ils n'avaient qu'à rester où ils étaient ?

— Ils veulent nous avoir vivants. »

Claude, fasciné, regardait l'énorme piège, sa masse, ces bois courbes d'arbalètes qui sortaient à sa base comme des mandibules. A peine entendit-il la voix de Xa, qui parlait à Perken : celui-ci reprit les jumelles. A son tour, Claude chercha dans la même direction, au fond de la clairière. Nombre de Moïs s'étaient courbés vers le sol, comme pour repiquer des plantes ; les autres marchaient avec grand soin, pliant les genoux, levant très haut les pieds, comme des chats. Il se retourna vers Perken, interrogatif.

« Ils plantent les lancettes de guerre. »

Donc, ils attendaient bien la nuit, et prenaient leurs précautions. Et combien de travaux semblables se préparaient ou se poursuivaient, derrière la case, derrière la ligne fourmillante de ces corps penchés ?

Empêcher les Moïs d'incendier leur case, il n'y fallait pas songer : le feu allumé, ils ne pourraient que se lancer en avant — contre les arbalètes — ou à droite, vers les lancettes de guerre. Au-delà, les pieux de l'enceinte, et au-delà, la forêt… Rien à faire, sinon en tuer le plus possible. Ah ! ces sangsues qui se tordaient si bien, en grésillant, sur les allumettes !

Il n'y avait rien à faire que ce qu'avait conseillé Perken : tenter de fuir à la tombée du jour, quelques instants avant l'incendie. Resterait la forêt… Mais cette fuite même, quelles étaient ses chances contre les lancettes de guerre ?

Claude regardait les charrettes.

Les charrettes, — les pierres.

Recommencer…

Sortir d'ici d'abord, ou être tué. N'être pas pris vivant…

« Que plantent-ils encore ? »

Ils s'agitaient de nouveau au fond de la clairière, lances croisées.

« Ils ne plantent rien : c'est le chef qui revient. »

Perken passa les jumelles à Claude, une fois de plus. L'agitation, rapprochée ainsi, restait ordonnée : rien ne distrayait les Moïs de leur but. L'extrême tension de l'atmosphère, l'hostilité de ce qui baignait dans l'air, comme si tous ces gestes tendus vers eux se fussent ramassés en une seule âme, tout convergeait des êtres à l'affût vers ces hommes acculés ; et quelque chose, dans la case même, s'accorda tout à coup à cette âme acharnée : Perken. Il était fixé comme par un instantané, le regard perdu, la bouche ouverte, tous les traits affaissés. Plus rien d'humain dans la case : effondré dans son coin, Xa attendait, plié en bête ; Grabot — qu'il continuât à se taire ! — autour, ces gueules de fauves, cet instinct de sadiques, précis et bestial comme ce crâne de gaur à dents de mort ; et Perken pétrifié. L'épouvante de l'être écrasé de solitude saisit Claude au creux de l'estomac, au défaut des hanches, l'épouvante de l'homme abandonné parmi des fous qui vont bouger. Il n'osa pas parler, mais toucha Perken à l'épaule ; celui-ci l'écarta sans le regarder, avança de deux pas et s'arrêta en plein encadrement de l'ouverture — à portée de flèche.

« Attention ! »

Perken n'entendait plus. Ainsi, cette vie déjà longue allait se terminer ici dans une flaque de sang chaud, ou dans cette lèpre du courage qui avait décomposé Grabot, comme si rien, dans aucun domaine, n'eût pu échapper à la forêt. Il le regarda : le cou sur la poitrine, le visage caché par les cheveux, l'aveugle marchait lentement en rond — comme autour de la meule — une épaule en avant, retourné à son esclavage. Perken était harcelé par son propre visage, tel qu'il serait peut-être demain, les paupières à jamais abaissées sur les yeux… Pourtant on pouvait combattre. Tuer, enfin ! Cette forêt n'était pas qu'un foisonnement implacable, mais des arbres, des buissons derrière lesquels on pouvait tirer — mourir de faim. La folie lancinante de la faim, qu'il connaissait, n'était rien auprès des meules endormies avec leurs harnais d'esclaves dans le village ; dans la forêt, on pouvait se tuer en paix.

Toute pensée précise était anéantie par ces têtes aux aguets : l'irréductible humiliation de l'homme traqué par sa destinée éclatait. La lutte contre la déchéance se déchaînait en lui ainsi qu'une fureur sexuelle, exaspérée par ce Grabot qui continuait à tourner dans la case comme autour du cadavre de son courage. Une idée idiote le secouait : les peines de l'enfer choisies pour l'orgueil — les membres rompus et retournés, la tête retombée sur le dos comme un sac, le pieu du corps à jamais planté en terre, — et le désir forcené que tout cela existât pour qu'un homme, enfin, pût cracher à la face de la torture, en toute conscience et en toute volonté, même en hurlant. Il éprouvait si furieusement l'exaltation de jouer plus que sa mort, elle devenait à tel point sa revanche contre l'univers, sa libération de l'état humain, qu'il se sentit lutter contre une folie fascinante, une sorte d'illumination. « Aucun homme ne tient contre la torture » traversa son esprit, mais sans force, comme une phrase, lié à un cliquettement inexplicable : ses dents qui claquaient. Il sauta sur la claie, hésita encore une seconde, tomba, se redressa, un bras en l'air, tenant son revolver par le canon, comme une rançon.

« Fou ? » Claude, la respiration coupée, le suivait du canon de son arme : Perken marchait vers les Moïs, pas à pas, tout le corps raidi. Le soleil abaissé lançait sur la clairière de longues ombres diagonales, avec un dernier reflet sur la crosse du revolver. Perken ne voyait plus rien. Son pied rencontra un buisson bas ; il fit un geste de la main, comme s'il eût pu l'écarter (il ne suivait pas le sentier), continua d'avancer, tomba sur un genou, se releva, toujours aussi raide, sans avoir lâché le revolver. La piqûre des plantes fut si aiguë qu'il vit, une seconde, ce qui était devant lui : le chef inclinait la main vers la terre, opiniâtrement. Poser le revolver. Il était là-haut dans sa main. Enfin il parvint à plier le bras, prit l'arme de l'autre main, comme pour la détacher. Ce n'était plus de l'hésitation : il ne pouvait plus bouger. Enfin elle s'abaissa d'un coup et s'ouvrit, tous les doigts tendus : le revolver tomba.

Quelques pas encore. Jamais il n'avait marché ainsi, sans plier les genoux. La force qui le soulevait connaissait mal ses os : sans la volonté qui le jetait vers la torture avec cette puissance d'animal fasciné, il eût cru dériver. Chaque pas des jambes raidies retentissait dans ses reins et son cou ; chaque herbe arrachée par ses pieds qu'il ne voyait pas l'accrochait au sol, renforçait la résistance de son corps qui retombait d'une jambe sur l'autre avec une vibration que coupait le pas suivant. A mesure qu'il s'approchait les Moïs inclinaient vers lui leurs lances qui luisaient vaguement dans la lumière mourante ; il pensa soudain que sans doute ils n'aveuglaient pas seulement leurs esclaves, mais les châtraient.

Une fois de plus il se trouva planté dans le sol, vaincu par la chair, par les viscères, par tout ce qui peut se révolter contre l'homme. Ce n'était pas la peur, car il savait qu'il continuerait sa marche de taureau. Le destin pouvait donc faire plus que détruire son courage : Grabot était sans doute un double cadavre. La barbe, pourtant... Il voulut se retourner, absurdement, pour le regarder encore ; il ne vit que le revolver.

L'arme était tout près du sentier, presque au centre d'une plaque d'argile dénudée, comme si elle eût brûlé l'herbe autour d'elle. Capable de tuer sept de ces hommes. Capable de toutes les défenses. Vivante. Il revint vers elle ; les bois courbes des arbalètes brillèrent un instant dans l'air rouge de la clairière.

Donc, il y avait sans doute un monde d'atrocités au-delà de ces yeux arrachés, de cette castration qu'il venait de découvrir… Et la démence, comme la forêt à l'infini derrière cette orée… Mais il n'était pas encore fou : une exaltation tragique le bouleversait, une allégresse farouche. Il continuait à regarder vers la terre : à ses guêtres arrachées, à ses lacets de cuir tordus collait absurdement l'image ancienne d'un chef barbare prisonnier comme lui, plongé vivant dans la tonne aux vipères, et mourant en hurlant son chant de guerre, les poings brandis comme des nœuds rompus… L'épouvante et la résolution s'accrochaient à sa peau. Il lança son pied sur le revolver qui parcourut un mètre en clochant, rebondissant de crosse en canon, comme un crapaud. Il repartit vers les Moïs.

Claude, haletant, le tenait dans le rond des jumelles comme au bout d'une ligne de mire : les Moïs allaient-ils tirer ? Il tenta de les voir, d'un coup de jumelle ; mais sa vue ne s'accommoda pas aussitôt à la différence de distance, et sans attendre il ramena les jumelles sur Perken qui avait repris exactement sa position de marche, le buste en avant : un homme sans bras, un dos incliné de tireur de bateaux sur des jambes raidies. Lorsqu'il s'était retourné, une seconde, Claude avait revu son visage, si vite qu'il n'en avait saisi que la bouche ouverte, mais il devinait la fixité du regard à la raideur du corps, aux épaules qui s'éloignaient pas à pas avec une force de machine. Le rond des jumelles supprimait tout, sauf cet homme. Le champ de vision dérivait vers la gauche ; d'un coup de poignet il le ramena. Une fois de plus, il perdit Perken : il le cherchait trop loin, dans une des longues traînées du soleil. Perken venait de s'arrêter.

Un instant, la ligne des Moïs vers lesquels il marchait lui était apparue sans épaisseur, nette à hauteur des têtes mais perdue à sa base dans le brouillard qui commençait à monter du sol. Un dernier reflet brillait en tremblant sur ces choses mobiles, comme lié à l'angoisse haletante des hommes contre la paix du soir. Sa main vide maintenant se fermait, molle, aussi légère qu'une main de malade, comme s'il eût encore cherché une arme ; et soudain, son regard rencontrant la cime des arbres où s'étendait longuement la dernière rougeur du soleil, tandis qu'au ras de terre l'immobile agitation continuait, la passion de cette liberté qui allait l'abandonner l'envahit jusqu'au délire. Au bord de l'atroce métamorphose qui l'obsédait, il se raccrochait à lui-même, les mains crispées s'enfonçant dans la chair des cuisses, les yeux trop petits pour l'invasion de toutes les choses visibles, la peau comme un nerf. Jeté sexuellement sur cette liberté à l'agonie, soulevé par une volonté forcenée se possédant elle-même devant cette imminente destruction, il s'enfonçait dans la mort même, le regard fixé sur le rayon horizontal qui là-haut s'allongeait de plus en plus, délivré de ces ombres sinistres et vaines dont l'affût se perdait dans l'obscurité qui montait de la terre. La lueur rouge du soleil s'allongea d'un coup, comme une ombre ; le jour décomposé qui précède de quelques instants la nuit des Tropiques s'effondra sur la clairière : les formes des Moïs se brouillèrent, sauf la ligne des lances, noires sur ce ciel mort, et dont le reflet rouge était parti. Perken retombait entre les mains des hommes, face à face avec ces formes haineuses, avec l'apparition sauvage de ces lances. Et soudain, tout chavirant à la fois, il entendit sa propre voix qui criait et se sentit saisi. Non : la sensation due à la crainte et non à la peau disparaissait, mais cette douleur de blessures... Enfin il comprit, car l'odeur de l'herbe l'envahissait : il était tombé, un pied arrêté par une fléchette de guerre, sur d'autres fléchettes. D'un poignet déchiré, le sang coulait. Il se releva, sur les mains d'abord : il était sûrement blessé au genou. Les Moïs avaient à peine bougé ;

un peu plus près de lui pourtant… Avaient-ils voulu se jeter sur lui, les avait-on arrêtés ? Dans la pénombre, il ne voyait distinctement que le blanc de leurs yeux, mobile, sans cesse ramené vers lui. Un troupeau. Si près… Que l'un sautât, il était à portée de lance. La douleur apparaissait, à la fois aiguë et engourdissante, mais il se sentait délivré de lui-même : il revenait à la surface. Les Moïs tenaient leurs lances des deux mains, en travers de leur poitrine, comme lorsqu'ils s'approchent des fauves. Et il respirait comme une bête. Dans sa poche, il avait toujours le petit browning ; tirer sur le chef, sans l'en sortir ? Et après ? Impossible de s'appuyer sur sa jambe blessée ; reposant sur l'autre, il la laissait pendre, mais le poids du pied la tirait et un élancement aigu envahissait le genou : il montait à intervalles réguliers, d'un mouvement mou et lancinant, lié au battement du sang qui des tempes retentissait dans sa tête. Et un grand mouvement s'était fait autour de lui, dont la conscience l'envahissait comme si elle eût été appelée par la douleur : les Moïs s'étaient rapprochés derrière lui, le séparant de Claude. Ne l'avaient-ils laissé avancer jusqu'ici que pour cela ?

IV

Il était devant eux. Le chef ne le quittait pas du regard, d'un regard que le frémissement des paupières rendait papillotant, guettant maintenant son prochain mouvement. Sa main droite valide tenait toujours le petit browning, prête à tirer à travers la toile, gênée par un réflexe qui l'obligeait à soutenir la poche, comme s'il eût pu diminuer ainsi le poids de la jambe blessée. Il étendit la main gauche vers le guide, debout à côté du chef. Le sauvage leva vers cette main qui s'avançait son sabre oblique, mais il comprit que le geste était pacifique : le sabre toucha presque la main dont le sang, goutte à goutte, tombait par terre sans le moindre son, puis s'abaissa.

« Savez-vous que cet homme vaut cent jarres ! » cria Perken.

Le guide ne traduisit pas : l'impuissance tomba sur Perken comme une révélation. Prendre cette brute par le cou, la secouer, la faire parler !

« Traduis, bon Dieu ! »

Le guide le regardait, la tête enfoncée entre les épaules, comme s'il eût eu plus peur de ces paroles que du combat. Perken devina qu'il ne comprenait pas : il avait parlé trop vite, dans un siamois non déformé, et le cri rendait plus difficile la distinction des tons.

Il reprit, s'efforçant à la lenteur :

« Toi dire chef… »

Il séparait les mots, exaspéré par sa respiration précipitée qui battait les syllabes. Les yeux fixés sur ceux de l'interprète, maladroit devant ce regard de sauvage, il tentait de deviner. Le Moï inclinait légèrement l'épaule vers le chef, comme s'il allait parler.

« … Homme blanc aveugle valoir… »

Comprenait-il ? Sa destinée, à lui, Perken, se jouait sur cette masse vivante. Sa vie aboutissait comme à un passage à ces jambes couvertes d'eczéma, à ce pagne ignoble et sanglant, à cette humanité capable seulement de pièges et de ruse, ainsi que les bêtes de la forêt. Il dépendait totalement de cet être, de ses pensées de larve. Quelque chose en cet instant vivait sourdement dans cette tête, comme s'ouvrent les œufs de mouches pondus dans le cerveau. Depuis une heure, il n'avait pas eu une aussi violente envie de tuer :

« … Valoir plus de cent jarres… »

Enfin, il traduisit ! Le vieux chef ne fit pas un geste. L'immobilité de tous était telle qu'il semblait que la nuit seule ne se fût pas arrêtée, qu'on la vît monter vers le ciel. Comme lors des rites du matin, toute la vie de ce lieu séparé du monde se suspendait à l'ombre silencieuse du chef; pas un cri d'animal ne venait des profondeurs des feuilles qui paraissaient se prolonger dans ce silence et cette immobilité jusqu'aux limites de la terre. Perken attendait un geste de la main ; mais non : il se rapprochait de l'interprète, parlait ; l'homme traduisit aussitôt.

« Plus de cent ?

— Plus. »

Le chef réfléchissait, remuant les dents sans arrêt comme un lapin. Il releva la tête : un cri venait d'arriver du fond de la clairière.

« Perken ! »

Claude ne le voyait plus et l'appelait. Dans quelques minutes, la nuit serait tombée ; ils seraient perdus, si leur dernière chance, l'échange, leur échappait…

« Viens !… »

Perken avait lancé ce mot de toute sa voix ; le chef le regardait, méfiant, agitant toujours ses gencives, menaçant dans le silence retombé.

« Je l'appelle, dit Perken à l'interprète.

— Sans arme ! répondit le chef.

— Prends seulement le petit browning », cria Perken en français.

Le combat continuait…

Un rond lumineux parut dans les ténèbres grises où mourait la voix : Claude avait allumé sa lampe électrique. On ne le voyait pas, on n'entendait pas le moindre bruit de buissons écrasés ; seul, ce rond avançait en zigzaguant, toujours à la même hauteur, accompagnant le liquide claquement du sang dans les veines des tempes dont Perken ne parvenait pas à se délivrer.

La lumière suivait le sentier, sans nul doute. Relevée d'un coup, elle abandonna le sol, passa en fauchant sur les hommes assemblés, revint au sol chercher la piste : tous ces êtres sortis un instant des ténèbres — les points blancs des dents allumés tout à coup, les bustes inclinés vers Perken — retombèrent à leur rôle d'ombres.

Perken commençait à souffrir : il s'assit par terre, non sans peine. Les élancements devinrent moins fréquents. La lampe électrique s'éteignit : Claude, à quelques mètres à peine, écrasait des feuilles en avançant ; Perken, les jambes allongées, la tête près du sol, ne voyait que la masse de la forêt où se perdaient toutes les formes proches, et la grille des lances sur le ciel. Des paroles rôdaient autour de lui, comme une discussion étouffée.

« Tu es blessé ? »

C'était Claude.

« Non. Enfin, si, pas gravement. Assieds-toi à côté de moi. Et éteins ça. »

Les Moïs d'ailleurs préparaient un grand feu.

Perken résuma.

« Tu as proposé plus de cent jarres… Combien y a-t-il de guerriers ?

— De cent à deux cents.

— Ils ronchonnent… Que crois-tu qu'ils disent ? »

Les paroles, en effct, continuaient à rôder, plus gutturales. Deux voix se détachaient des autres, plus hautes, affirmatives : l'une était celle du chef.

« Je pense que le chef et le propriétaire de Grabot discutent.

— Que défend le chef ? Le village, en bloc ?

— Sans doute.

— Si on proposait une jarre pour chaque guerrier, et cinq ou dix, ce que tu voudras, pour le village ? »

Aussitôt, Perken fit la proposition. L'interprète avait à peine traduit qu'un murmure envahit l'ombre : chacun parlait, faiblement d'abord, puis jusqu'au jacassage furieux. Les lances s'agitaient maintenant sur le ciel criblé des mêmes étoiles que la veille. Elles disparurent : la flamme du bûcher venait de jaillir en chuintant, fouettant tout de ses battements inégaux. Elle montait et des têtes apparaissaient, nettes aux premiers plans, perdues aux derniers : presque tous les guerriers étaient là, fous de paroles, délivrés tout à coup des blancs. Chacun parlait pour soi, de plus en plus haut, les bras immobiles, mais agitant la tête ; le feu, à intervalles égaux, engloutissant le bruit des castagnettes étouffées des paroles, repiquait ses accents rouges sur leurs têtes de vieux paysans où reparaissaient soudain, plus vite que la montée de la flamme, leurs regards fixes de chasseurs. Le jacassage entourait un cercle muet ; dans ce trou de silence les anciens accroupis autour du chef, les bras très longs, comme ceux des singes, parlaient l'un après l'autre. Claude ne les quittait pas du regard, anxieux de l'expression de leur visage qu'il voulait traduire, qu'il abandonnait, expression aussi étrangère que la langue qu'ils parlaient.

L'interprète vint vers Perken.

« L'un de vous partira, l'autre restera jusqu'à son retour...

— Non. »

« Un seul peut mourir en chemin, fit ajouter Claude : alors, pas d'échange. »

Le Moï repartit, heurtant la jambe blessée de Perken qui faillit crier ; la douleur, de nouveau, s'engourdit...

Les palabres avaient repris.

« A la rigueur, dit Claude...

— Non, je connais les sauvages : s'ils espèrent vraiment, les vieux ne pourront pas tenir contre le village ; et l'important est de gagner du temps ; s'il faisait jour, j'aurais d'autres moyens... »

Le jacassage se perdit soudain dans des voix étouffées, comme celui des oiseaux dans l'envol : tous regardaient le groupe des anciens. En même temps que les têtes se tournaient, les bouches demeurées ouvertes pendant le discours des voisins se fermaient d'attention.

« Aucune tribu ne possède une jarre par homme ! » cria Perken en siamois.

L'interprète traduisit. Le chef ne répondit pas. Nul ne bougeait : l'attente s'étendait, hostile, comme des ronds dans l'eau. Les guerriers guettaient le chef.

Perken voulut se lever, mais il craignait de marcher avec trop de peine, et d'affaiblir ainsi ses paroles. Il cria encore :

« Nous serons sans escorte. Les jarres… »

L'interprète vint à lui, suivi du mouvement unanime des têtes.

« … les jarres viendront dans des charrettes. »

« Pas d'escorte. »

Il s'arrêtait après chaque phrase pour que la traduction fût faite aussitôt.

« Trois hommes seulement. »

« Faites l'échange dans une clairière que vous indiquerez. »

Claude avait à tel point l'habitude de voir les blancs approuver de la tête, que l'immobilité de ces visages, aussitôt après le mouvement qui venait de les tourner vers eux, le heurta comme un refus. « Ça doit pourtant les séduire, murmura-t-il, de posséder chacun la sienne !

— Ils ne se rendent pas bien compte… »

Que se passait-il ? Des Moïs se levaient. Hésitants, le dos encore courbé, un bras vertical tendu vers le sol sur quoi ils venaient de s'appuyer. Et se dirigeaient vers la case d'où venaient les blancs, leur ombre devant eux. Trois, quatre… Ils se confondirent avec la masse des arbres ; seule, la partie supérieure des lances se voyait encore sur le ciel étoilé… Les autres attendaient, tendus par une attente si contagieuse qu'elle gagnait les blancs. Au-dessus de la barre ondulée des arbres, Claude guettait le retour des lances. Des cris arrivèrent, auxquels répondit une clameur satisfaite ; les pointes surgirent un instant, croisées, près d'une étoile très claire, descendirent, remontèrent, de plus en plus grandes ; les hommes entrèrent dans la lumière rouge, attachés à la nuit par leurs ombres qui s'y perdaient. Perken reconnut parmi eux le maître de Grabot ; il était allé s'assurer de la présence de son esclave, et les autres avaient craint qu'il ne se fût enfui. Il voulait retourner à la case : deux guerriers le tenaient par les poignets ; tous trois criaient, mais Perken ne les comprenait pas. Enfin, ils s'accroupirent ; les palabres recommencèrent et de nouveau, une absurde atmosphère de discussion paysanne s'établit sur la férocité, sans la recouvrir tout à fait.

« Ça va durer longtemps ? demanda Claude.

— Jusqu'à ce qu'ils éteignent le bûcher, à l'aube. Toujours : l'heure des décisions propices. »

Maintenant que son énergie ne s'appliquait plus, Perken retombait sur lui-même. A peine sentait-il qu'il avait retrouvé sa vie : lorsqu'il avait risqué torture et déchéance en craignant de n'y pouvoir résister, il avait été à tel point arraché à lui-même qu'il ne se sentait plus en face que d'une vie de brouillard. Qu'y avait-il de réel dans cette rumeur qui montait et descendait avec la flamme, dans ce conciliabule de fous au centre de cet implacable écrasement de la forêt et de la nuit ? Avec la fièvre, la haine de l'homme l'envahissait, la haine de la vie, la haine de toutes ces forces qui maintenant le reconquéraient, chassaient peu à peu ses souvenirs atroces, comme ceux d'une extase. Il avait cessé de se sentir prisonnier, bien qu'il écoutât sa blessure, ses élancements, sa fièvre, plus que sa pensée ; mais la chaleur de bain qui sortait de ses joues et de ses tempes désagrégeait tout ce qui venait des hommes. Les Moïs ne bougeaient plus ; depuis que les éclats du foyer rayaient chaque fois les mêmes lances plantées en terre, lissaient les mêmes bras brillants de sueur, la rumeur passait sur l'assemblée presque toute perdue dans l'ombre comme un bruissement d'insectes sur des momies accroupies ; lorsque s'abaissait le bûcher, les ténèbres revenaient battre ces épaves avec un ressac d'où surgissaient les lances en désordre. La fièvre qui montait toujours leur donnait une immobilité minérale[1] ; la nuit se soulevait à l'assaut de cette sauvagerie décomposée, la recouvrait comme la forêt avait recouvert les temples, puis sa vague s'effondrait et les têtes reparaissaient, avec les points fixes et rouges de leurs yeux qui reflétaient le feu jusqu'aux profondeurs de l'obscurité

L'aube.

Une motte de terre écrasa la dernière flamme du bûcher. L'interprète vint s'accroupir à côté de Perken.

« Vous choisirez l'endroit et le jour.

— Serment ?

— Serment. »

Il transmit le dialogue en hurlant.

Un à un les Moïs se levèrent, débris d'un naufrage dans le petit jour blême et froid ; leur masse ondula comme une bâche, se désagrégea enfin. Plusieurs urinaient, immobiles.

« Tu crois au serment, Perken ?

— Attends. Il faudrait aller chercher les cartouches qui sont dans mon ancienne gaine, dans la première charrette, sous la veste… et mon colt…

1. Ces peuplades sauvages de la forêt, jusque-là assimilées plutôt à l'animalité, acquièrent ici une immobilité minérale qui renforce leur déshumanisation.

— Où ?
— Je ne sais pas… Entre la case et ici… »
Heureusement, il était tombé sur la tache sans herbe, où Claude le découvrit aussitôt. Dès qu'il l'eut pris — preuve de paix — un homme habillé sortit de leur case : Xa. Tous deux allèrent aux charrettes ; Xa sortit la gaine puis revint vers Perken.
« Grabot ? » demanda celui-ci.
Le boy écarta les mains :
« Maintenant, dormir !… »
Les anciens s'étaient accroupis sous le gaur ; un esclave apportait les jarres d'alcool. Perken se leva, appuyé sur Claude qu'inquiétaient le creux et le frémissement de ses joues non rasées : il se mordait profondément pour ne pas grimacer de douleur. Le chef but, tendit le bambou : Perken approcha sa tête, s'arrêta. Tous le regardaient.
« Qu'as-tu ? demanda Claude.
— Attends… »
Refuser le serment ? Les Moïs guettaient du chef un signal. Perken avait levé la main gauche, pour appeler l'attention. Il tira le colt de sa gaine, dit à l'interprète : « Regardez le gaur » et visa. Le point de mire tremblait ; la fièvre, et sa blessure… Pourvu que la rosée de la nuit n'eût pas enrayé l'arme… Elle était graissée… Tous les regards montaient dans le prime matin vers l'os, poli par le soleil et les fourmis. Perken tira. Une tache de sang s'écrasa entre les deux cornes, s'agrandit du centre vers les bords ; une rigole rouge hésita, descendit soudain vers le nez, s'arrêta au bord, tomba enfin, goutte à goutte. Le chef tendit avec crainte sa main : une goutte rouge, là-haut, restait immobile, suspendue ; elle tomba sur son doigt. Il la lécha aussitôt, dit une phrase qui ramena tous les regards vers la terre, prisonniers d'une inquiétude nouvelle.

« Du sang d'homme ? demanda l'interprète[1].

— Oui… »

Claude attendait que Perken s'expliquât, mais Perken regardait les Moïs. Les épaules en avant, tout le corps affaissé et tendu à la fois, ils se rapprochaient les uns des autres ; de seconde en seconde comme un fuyard, un regard quittait le groupe, atteignait le crâne et retombait, furtif. Sous cette chasse constante des yeux, sous cette angoisse, il semblait que la tache continuât à s'étendre. Au bord supérieur, le sang séchait, mais une autre rigole descendit vers le sol avec un zigzag mou. Ce sang en mouvement, avec ces rigoles comme des pattes, vivait ainsi qu'un gros insecte, marquant l'os bleuâtre dans la lumière comme un signe de possession.

De sa main, où sa langue avait étalé les gouttes de sang, le chef indiquait le bambou : Perken but. Claude avait espéré quelque soudaine adoration. « … Ils sont trop familiers avec le surnaturel, dit Perken. Ils me regardent comme des blancs regarderaient le possesseur d'un fusil extraordinaire. Et me craignent de la même façon. Ce que nous y gagnons de plus clair, c'est de donner au serment du riz une valeur absolue. » Claude buvait à son tour : « Qu'est-ce que cette histoire ? — J'ai rempli une de mes balles creuses avec le sang de mon genou. »

Le chef se leva. Xa alla atteler les charrettes ; Perken et Claude retournèrent à la case où était resté Grabot. Il était étendu sur le côté, le bras allongé, la main entrouverte : il dormait. Perken l'éveilla, lui annonça l'entente passée avec les Moïs. Assis maintenant, la tête molle sur les épaules, il ne répondait pas, à demi endormi encore ou hostile.

1. *Cf.* « Les sources documentaires », p. 215, à propos de cette ruse de Perken.

« Je suis sûr qu'ils ne trahiront pas le serment du riz maintenant », dit Perken.

Grabot ouvrit la main sans répondre, Claude détourna les yeux : Xa avançait avec les charrettes, le dernier guide à côté de lui. Il avait pu atteler aussi vite qu'à l'ordinaire, car rien n'avait été pillé ; et cette reprise du cours des choses, cet évanouissement de la tragédie de la nuit tombait sur Claude comme la conscience de son propre néant. Sous le gaur un grand vide s'était fait : à l'extrémité des deux rigoles noires, sur le bord dentelé de l'os, une goutte de sang où brillait le soleil se coagulait.

V

Le guide montra le village siamois de sa lance : trois cents mètres plus bas, sur une tache de la forêt, près de quelques bananiers, des paillotes serrées, avec leur éternel aspect de bêtes des bois ; jusqu'à l'horizon, les lignes décroissantes, presque parallèles, des collines : le Siam. Le guide planta sa lance en terre pour marquer le lieu d'échange.

« C'est bien choisi, dit Claude : il domine tous les sentiers qui mènent vers lui. »

Perken, couché sur une charrette dont Xa avait enlevé le toit, comme sur un brancard, se souleva :

« C'est un pauvre idiot : si le Siam veut agir, il ne le fera qu'après l'échange : il ne sera pas difficile de faire suivre les charrettes chargées de jarres. Celui qui aura suivi, ensuite, guidera la colonne... »

Le Moï tenait toujours la lance ; enfin, il fut certain que les blancs l'avaient compris. Il se retourna et repartit en arrière, lentement d'abord, en courant ensuite, avec une maladresse d'animal chassé. Ils n'entendaient plus sa marche mais sentaient encore sa présence ; il remontait vers la sauvagerie, comme une barque vers un vaisseau.

Seuls avec leurs charrettes, avec leurs pierres, seuls avec ce sentier qui les poussait vers le village dont les toits scintillaient au-delà du gouffre de lumière.

Quelques villageois parlaient siamois. Perken choisit des conducteurs, et de jour en jour la marche reprit avec des relais aux villages, comme au Cambodge. Plus rapide, mais rythmée par le battement du sang dans la jambe qui enflait davantage chaque jour, dans le genou qui devenait de plus en plus rouge. Perken mangeait à peine, ne se levait plus que contraint. Le soir, la fièvre montait. Enfin parurent les cornes et les hautes cloches blanches d'une pagode, toute bleue dans la lumière tropicale : le premier gros bourg siamois. Dès l'arrivée au bungalow, Xa se renseigna. Il y avait là un jeune médecin indigène qui avait fait ses études à Singapour, et habitait Bangkok d'ordinaire ; et un médecin anglais en tournée, pour deux jours encore. « Il mange chez le Chinois… » Il était à peine midi. Claude courut à la gargote chinoise : sous un panka, devant des murs de nattes lépreuses tendues d'énormes réclames de cigarettes, entre des sodas et des bocaux verdâtres, un dos de toile blanche, des cheveux blancs.

« Docteur ? »

L'homme se retourna lentement, des haricots germés à l'extrémité de ses baguettes, le visage presque aussi blanc que les cheveux. Il regardait Claude, à la fois excédé et résigné.

« Qu'est-ce encore ?

— Un blanc blessé, gravement. La plaie est envenimée. »

Le vieillard haussa lentement les épaules, se remit à manger. Claude, après une minute, se décida à poser les poings sur la table. Le médecin leva les yeux.

« Vous pourriez me laisser achever mon repas, non ? »

Claude hésita. « Vais-je lui flanquer une paire de claques ? » C'était le seul médecin européen. Il s'assit à la table voisine, entre l'homme et la porte.

« "Entendu" aurait été une réponse plus courte. Achevez. »

Enfin le médecin se leva.

« Où l'a-t-on mis ? »

« Où a-t-on encore eu la bêtise de le mettre », signifiaient voix et visage.

« Au bungalow.

— Allons. »

Le soleil, le soleil…

Dès qu'il fut dans la chambre il s'assit sur le lit, ouvrit son couteau pour fendre la toile de la culotte, mais l'enflure était déjà telle que Perken l'avait fendue lui-même sur le côté. Le médecin tira l'étoffe brutalement, mais ses gestes changèrent dès qu'il commença à palper. Le gros point noir froncé de la blessure semblait sans rapport avec ce genou énorme et rouge.

« Vous ne pouvez pas plier la jambe, n'est-ce pas ?

— Non.

— Vous avez reçu une flèche ?

— Tombé sur une pointe de guerre.

— Il y a combien de temps ?

— Cinq jours.

— C'est mauvais…

— Les Stiengs n'empoisonnent jamais leurs pointes[1].

— Si la pointe avait été empoisonnée, vous seriez mort à l'heure qu'il est. Mais un homme s'empoisonne très bien tout seul. Admirablement fabriqué pour ça.

1. Les fibres de bambou de ces lancettes suffisaient à envenimer les plaies, quoique les Stiengs soient connus pour leur usage du poison.

— J'ai mis de la teinture d'iode… quoique pas tout de suite…

— Sur une plaie aussi pénétrante, c'est comme si vous chantiez. »

Il palpait doucement le genou luisant, d'une telle sensibilité au toucher qu'il semblait élastique à Perken.

« Dur… La rotule ballotte… Donnez le thermomètre : 38,8… Et la température monte le soir, bien entendu. Vous ne mangez presque plus ?

— Non.

— Chez les Stiengs !… »

Il haussa encore les épaules et parut réfléchir, puis il regarda de nouveau Perken, avec rancune :

« Vous ne pouviez pas vous tenir tranquille ? »

Perken considérait son teint très blanc :

« Quand un opiomane me parle de tranquillité, je l'envoie toujours s'étendre. Si c'est l'heure de votre pipe, allez fumer et revenez plus tard, cela vaudra mieux.

— Je ne vous demande pas…

— Vous avez entendu parler de Perken, oui ?

— Qu'est-ce que ça peut bien vous faire ?

— C'est moi. Ce qui veut dire que je vous conseille de faire attention.

— Quand on pense qu'on peut avoir la paix !… »

Il se pencha de nouveau vers la blessure, non par obéissance, mais comme s'il eût cherché quelque chose ; il suivait sa pensée. « Bêtise, grommelait-il, bêtise… » Un mince sourire sur ses lèvres, écœuré, abaissant les commissures au lieu de les relever, s'effaça, revint.

« Vous êtes Perken ?

— Non, je suis le shah de Perse !

— Et cela vous paraît important, n'est-ce pas, d'avoir fait des choses dans ce pays, de vous être beaucoup remué, au lieu de rester bien tranquille, de…

— Est-ce que je vous demande, à vous, si ça vous paraît sérieux de rester bien tranquille, comme vous dites ? »

Le sourire s'était de nouveau effacé.

« Eh bien, Monsieur Perken, écoutez bien : vous avez une arthrite suppurée du genou. Avant quinze jours, vous allez crever comme une bête. Et il n'y a rien à faire, comprenez-vous ? Absolument rien. »

Le premier instinct de Perken avait été de frapper, mais le ton était tellement plus chargé d'amertume que d'hostilité, qu'il ne bougea pas. Il y discernait pourtant la haine des vieux intoxiqués pour l'action…

« Il faudrait tout de même trouver un médecin plus sérieux, dit Claude.

— Vous ne me croyez pas ? »

Perken réfléchit.

« Avant de vous voir, je sentais qu'il en était peut-être ainsi. Il y a entre la mort et moi un vieux contact…

— Ne racontez donc pas d'histoires !

— … mais je me méfie.

— Vous avez tort. Il n'y a rien à faire. Rien. Fumez, vous aurez la paix, et ne penserez pas à autre chose ; l'opium est assez bon, par ici… Quand la douleur deviendra trop violente, piquez-vous… Je vous donnerai une de mes seringues. Vous n'êtes pas intoxiqué ?

— Non.

— Naturellement ! Alors, en triplant la dose au besoin, vous pourrez en finir quand vous voudrez… Je vais donner la seringue au boy.

— J'ai déjà été blessé par les pointes de guerre…

— Pas au genou… Les toxines microbiennes qui se forment là-dedans vont vous empoisonner lentement. Il n'y a qu'une solution, c'est l'amputation ; mais vous n'avez pas le temps d'arriver à une ville où l'on puisse vous amputer. Piquez-vous, pensez à autre chose ; tenez-vous tranquille, ça vous changera ! C'est tout.

— Un coup de bistouri ?

— On n'atteindrait rien : l'infection est trop profonde, et protégée par les os. Là-dessus, si le cœur vous en dit, allez chercher le Siamois, comme vous le propose ce petit jeune homme. Je vous préviens qu'il n'a aucune expérience clinique. Et c'est un indigène... Mais il doit être dans vos idées de nous préférer ces gens-là...

— En ce moment, beaucoup. »

Avant de franchir le seuil, Xa à côté de lui, le médecin se retourna, regarda encore Perken et Claude.

« Vous n'avez rien, vous ?

— Non.

— Parce que, pendant que je suis là... »

Mais c'est sur Perken que son regard restait posé ; à sa pesanteur, au plissement des paupières, on devinait une pensée, comme un reflet dans une glace brouillée. Enfin il partit.

« Dommage qu'une paire de claques, ici, ait si peu de sens, dit Claude : un joli phénomène. Je vais chercher le Siamois ?

— Tout de suite. Un médecin blanc en tournée par ici est nécessairement un phénomène : opiomane ou érotomane[1]... Xa, va chercher le chef du poste. Tu lui donneras ceci. (Il tendit une pièce administrative siamoise où seul son nom était inscrit en caractères latins). Tu lui diras que c'est Perken. Et trouve-moi des femmes pour ce soir. »

Quand Claude revint, — le médecin indigène allait le rejoindre bientôt — le chef de poste était là. Perken

1. On constate, d'après cette remarque, que la « civilisation » des Européens ne pénétrait guère à l'époque ces contrées « primitives » pour des motifs humanitaires.

et lui parlaient siamois : l'officier écoutait, répondait brièvement, prenait des notes. Il écrivit sous la dictée une dizaine de phrases.

« Alors, Grabot ? demanda Claude, dès qu'il fut parti.

— Nous l'aurons. Ce type pense, comme moi, que le gouvernement va profiter de l'occasion pour envoyer une colonne de répression, et occuper tout ce qui pourra être occupé dans cette région dissidente. Bon prétexte et avantage réel : un blanc martyrisé, les Français n'ont rien à dire, et ils pourraient trouver un jour quelque prétexte de ce genre, ce qui serait fâcheux. Les concessionnaires du chemin de fer désirent vivement l'occupation militaire... Il a pris le texte de ma dépêche, nous aurons la réponse ce soir. Si la colonne fait d'abord sauter un village, la panique va commencer dans toute la région... »

Claude regardait le chemin, entre la natte à peine soulevée et la fenêtre sans vitre. Personne. Ce médecin siamois allait-il venir enfin ? Les palmes disparaissaient dans le ciel d'un bleu incandescent d'éclairage au mercure ; le soleil se plaquait sur le sol avec une telle force que toute vie en semblait arrêtée. Ce n'était plus la transe de la forêt, mais la possession lente de la terre et des hommes par la chaleur, l'établissement d'une implacable domination. Projets, volonté se volatilisaient en elle ; au fur et à mesure qu'avec le silence retombé elle envahissait la pièce, une autre présence montait du flamboiement blanc du sol, des animaux endormis, de l'immobilité des deux hommes réfugiés dans cette ombre surchauffée : la mort. En face de l'Anglais, Perken avait eu beaucoup plus besoin de répondre que de comprendre ; ensuite il s'était efforcé d'agir, différant ainsi le retour de cette pensée qui l'entourait comme l'éblouissement solaire. Elle le rejoignait enfin.

La tranquille affirmation du médecin ne le convainquait pas, et, quoi qu'il en eût dit, ses propres sensations, maintenant qu'il s'efforçait de les saisir plus lucidement, ne le convainquaient pas davantage. Il avait l'habitude des blessures ; la fièvre, la souffrance intermittente qui lui tordait le genou, il les connaissait : c'était là, dans cette sensibilité d'abcès, dans ces réflexes de la chair tuméfiée qui s'écarte nerveusement du plus léger objet, qu'était son mal ; là et non dans quelque empoisonnement du sang dont il ne souffrait pas. Seule luttait contre l'affirmation de la plaie l'affirmation des hommes : sur ce médecin siamois, il semblait qu'il dût conquérir sa vie.

A peine fut-il entré que tout cela s'effondra avec une secousse de réveil : son indifférence professionnelle suffit à détruire ce monde de défenses. Perken se sentit brutalement séparé de son corps, de ce corps irresponsable qui voulait l'entraîner dans la mort. Le médecin défit le pansement et considéra la plaie, accroupi à la siamoise au bord du lit ; Perken énumérait les symptômes qu'il avait fait connaître au médecin anglais. Le Siamois ne répondait rien, palpant toujours avec une adresse extrême. Perken était saturé d'impatience, mais sans angoisse : de nouveau en face d'un adversaire, cet adversaire fût-il son propre sang.

« Monsieur Perken, en venant, j'ai rencontré le docteur Blackhouse[1]. C'est un homme… impur, mais c'est un médecin expérimenté. Il m'a dit avec son mépris d'Anglais — comme si j'ignorais cette maladie — que c'était une arthrite suppurée. Je la connais par les manuels, elle a été répandue pendant la guerre européenne ; mais je ne l'ai pas encore rencontrée. Les symptômes sont ceux que vous présentez. Pour lutter

1. On remarque la valeur symbolique du nom de cet annonciateur de la mort.

contre une maladie infectieuse de cette nature, il faudrait pratiquer l'amputation. Mais ici, dans l'état actuel de la science... »

Perken leva les mains, coupant le discours. Ce charabia d'occidentalisé lui rappela que la prudente confirmation de sa mort lui était donnée dans l'attente d'une juste rétribution. Il paya ; l'homme partit. Il le suivit du regard — comme une preuve.

Il croyait à la menace plus qu'à la mort : à la fois enchaîné à sa chair et séparé d'elle, comme ces hommes que l'on noyait après les avoir liés à des cadavres. Il était si étranger à cette mort aux aguets en lui qu'il se sentait de nouveau en face d'un combat : mais le regard de Claude le rejeta dans son corps. Il y avait en ce regard une complicité intense où se heurtaient la poignante fraternité du courage et la compassion, l'union animale des êtres devant la chair condamnée ; Perken, bien qu'il s'attachât à lui plus qu'il ne s'était attaché à aucun être, sentait sa mort comme si elle lui fût venue de lui. L'affirmation impérieuse était moins dans les paroles des médecins que dans les paupières que Claude venait instinctivement d'abaisser. L'élancement du genou revint, avec un réflexe qui contracta la jambe : un accord s'établit entre la douleur et la mort, comme si l'une fût devenue l'inévitable préparation de l'autre ; puis la vague de douleur se retira, emportant avec elle la volonté qui lui avait été opposée, et ne laissa que la souffrance ensommeillée, à l'affût : pour la première fois se levait en lui quelque chose de plus fort que lui, contre quoi nul espoir ne prévalait. Contre cela aussi, il fallait pourtant lutter...

« Ce qui est étonnant, Claude, dans la présence de la mort, même... lointaine, c'est qu'on sait tout à coup ce qu'on veut, sans hésitation possible... »

Ils se regardaient, soumis à ce lien silencieux qui plusieurs fois déjà les avait unis. Perken s'était assis sur le lit, la jambe étendue ; son regard était redevenu précis, mais chargé de conscience, comme si cette volonté ne se fût pas encore dégagée des regrets qu'elle traînait avec elle. Claude cherchait à le deviner.

« Tu veux remonter avec la colonne ? »

Perken hésita de surprise ; il n'y avait pas songé. Les Stiengs, dans son esprit, n'avaient pas participé à sa mort…

« Non : maintenant, j'ai besoin des hommes. Il faut que je remonte dans ma région. »

Et soudain, Claude découvrit combien Perken était plus vieux que lui. Ni au visage, ni à la voix : il semblait que les années pesassent sur lui comme une foi : irrémédiablement différents, d'une autre race…

« Et les pierres ?

— Maintenant, il n'y a rien de pire que ce qui était l'espoir… »

Parviendrait-il seul, jusqu'à ses montagnes ?…

Rien n'empêchait plus Claude d'atteindre Bangkok.

Rien, sinon la présence de la mort.

« J'irai avec toi. »

Silence. Comme pour se délivrer de l'empire des rares unions humaines, tous deux regardaient la fenêtre, éblouis par la lumière du dehors qui scintillait sous la natte. Les minutes passaient, brûlées par le soleil immobile. Claude pensait aux pierres abritées sous les toits des charrettes, vidées de la vie qui les avait si furieusement opposées à lui. S'il les laissait au poste, il les retrouverait. Et ne les retrouvât-il pas… « Pourquoi ai-je décidé d'aller avec lui ? » Il ne pouvait pas l'abandonner, le livrer à la fois à cette humanité dont il le sentait à jamais séparé, et à la mort. L'exercice de cette puissance qu'il ne connaissait pas l'attirait comme une révélation ; surtout, c'était de telles résolutions, d'elles seules, qu'il nourrissait le mépris qui le séparait de toutes les acceptations des hommes. Vainqueur ou vaincu, il ne pouvait en un tel jeu que gagner en virilité, qu'assouvir ce besoin de courage, cette conscience de la vanité du monde et de la douleur des hommes qu'il avait si souvent vus, informes, chez son grand-père…

La natte s'écarta sans bruit, jetant dans la pièce un tourbillon d'atomes triangulaires ; il lui sembla que ses raisons se perdaient, légères et dérisoires, dans cette masse d'air ; qu'il ne connaîtrait jamais, de lui-même, que sa volonté.

Pieds nus, un indigène apportait un télégramme, la réponse provisoire reçue par le chef du poste : *Préparez cantonnements, base d'action colonne répression huit cents hommes mitrailleuses*[1].

« Huit cents hommes, dit Perken. Ils veulent pacifier la région… Jusqu'où ?… Même si je ne l'avais pas choisi, il faudrait que je retourne là-haut… Et ils emportent des mitrailleuses, eux… »

Xa rentra.

« Missieu, y en avoir femmes…

— Moyen trouver pour moi aussi ? demanda Claude.

— Moyen. »

Tous deux sortirent.

Deux femmes se tenaient à droite de la porte. La même hostilité arrêta Perken devant les fleurs de la plus petite et devant son visage aux lèvres douces ; il détestait maintenant la langueur. Il fit signe à l'autre de venir, avant même de l'avoir regardée. La petite partit.

1. Le Gouvernement du Siam manifeste ici son intention de s'emparer de l'hinterland moï. Perken qui l'a informé du sort de Grabot (p. 170), et a provoqué ainsi son intervention, craint maintenant que celle-ci n'aille jusqu'à s'immiscer dans ses propres territoires.

L'air était suspendu comme si le temps se fût arrêté, comme si le tremblement des doigts de Perken eût seul vécu dans le silence soumis à l'immobilité asiatique de ce visage au nez courbe et fin. Ce n'était ni le désir, ni la fièvre, bien qu'il sentît à l'intensité de ce qui l'entourait qu'elle montait : c'était le tremblement du joueur. Ce soir, il ne craignait pas l'impuissance ; mais, malgré l'odeur humaine dans laquelle il plongeait, il était repris par l'angoisse.

Elle s'étendit, déshabillée, son corps sans poils et flou dans la pénombre marqué par l'infime naissance du sexe et les yeux auxquels il restait attaché, pas encore las d'y chercher en vain la prenante déchéance de la nudité[1]. Elle les ferma pour fuir la domination qui naissait de ses sentiments inexplicables ; habituée au désir des hommes, mais fascinée par l'atmosphère qui naissait, dans cet absolu silence, du regard qui ne quittait plus le sien, elle attendait. Contrainte par les coussins à desserrer légèrement les jambes et les bras, la bouche entrouverte, elle semblait créer son propre désir, appeler l'assouvissement par la lente ondulation de ses seins. Leur mouvement envahissait la chambre : répété, semblable à lui-même, plus actif chaque fois qu'il recommençait. Il descendit en vague, remonta peu à peu ; les muscles se tendirent, et tous les creux d'ombre s'élargirent. Dès qu'il passa le bras sous elle, et qu'elle dut l'aider, il sentit que la crainte la quittait ; elle prit appui sur sa hanche pour se déplacer légèrement : l'accent jaune de la lumière, une seconde, entoura la croupe comme un coup de fouet, disparut entre les jambes. La chaleur de son corps le pénétra. Soudain elle mordit ses lèvres, accentuant à l'extrême, par cette infime interven-

1. Toute la scène qui suit, d'un érotisme non censuré, a choqué la pudeur des lecteurs de l'époque.

tion de sa volonté, l'impossibilité où elle était de réprimer l'ondulation de sa poitrine.

A dix centimètres du visage aux paupières bleuâtres, il le regardait comme un masque, presque séparé de la sensation sauvage qui le collait à ce corps qu'il possédait comme il l'eût frappé. Tout le visage, toute la femme étaient dans sa bouche tendue. Soudain les lèvres gonflées s'ouvrirent, tremblant sur les dents, et, comme s'il fût né là, un long frémissement parcourut tout le corps tendu, inhumain et immobile comme la transe des arbres sous la grande chaleur. Le visage ne vivait toujours que par cette bouche, bien qu'à chaque mouvement de Perken correspondît un grattement de l'ongle sur le drap. Sous le frémissement devenu intense, le doigt, tendu dans le vide, cessa de toucher le lit. La bouche se ferma comme se fussent abaissées des paupières. Malgré la contraction des commissures des lèvres, ce corps affolé de soi-même s'éloignait de lui sans espoir ; jamais, jamais, il ne connaîtrait les sensations de cette femme, jamais il ne trouverait dans cette frénésie qui le secouait autre chose que la pire des séparations. On ne possède que ce qu'on aime[1]. Pris par son mouvement, pas même libre de la ramener à sa présence en s'arrachant à elle, il ferma lui aussi les yeux, se rejeta sur lui-même comme sur un poison, ivre d'anéantir, à force de violence, ce visage anonyme qui le chassait vers la mort.

1. « On ne possède que ce qu'on aime », le sage Gisors exprime la même conviction dans *La Condition humaine*.

QUATRIÈME PARTIE

I[1]

Encore les nuits et encore les jours — la mort à côté, comme Claude, — dans la chaleur et les moustiques qui semblaient monter de ce genou lancinant ; roulé à travers la forêt par cette torpeur, par cette irrégulière alternance des clairières déchirées et de la végétation qui remplaçait celle du jour et de la nuit, par ce monde où maintenant les nuits s'allongeaient comme les feuilles, — où le temps même pourrissait. Les déchirures se rapprochaient, comme si la forêt enfin arrachée eût laissé place à la lumière ; mais Perken savait que c'était la grande vallée, qu'une nouvelle vague de forêt retomberait sur son corps fixé, sur sa volonté saccagée où l'espoir se perdait dans les hurlements des chiens sauvages, dans l'atroce chaleur des piqûres

1. Ce chapitre, écrit très peu de temps avant la publication du roman, contribue à renforcer le climat tragique de cette dernière partie. Il offre une évocation inquiétante et presque lyrique de la forêt, qui constitue un écho amplifié des premières impressions de Claude découvrant cet univers tropical au début de la deuxième partie.

d'insectes. Il avait fait retirer un moment son soulier : la chair était grenat, piquée jusqu'à la limite du cuir comme par un tatouage. Sur la douleur, les démangeaisons, la pourriture, sur le cri sans fin des singes et les branches tordues qu'il retrouvait devant chaque trou de forêt depuis qu'ils remontaient vers le Laos, vers sa région, la vie des Stiengs chassés emplissait les profondeurs dont elle n'émergeait pas, comme une suprême décomposition. Les jarres remises, Grabot restitué, dirigé sur l'hôpital de Bangkok, la colonne de répression, emportant ses hommes blessés par les lancettes et les pièges, avait marché sur le village, fait sauter la porte et nettoyé les cases à coup de grenades : il n'en restait qu'un charnier, des cochons noirs en quête parmi des jarres pulvérisées, des ventres couverts d'animaux... Les Stiengs en fuite balayaient les villages ; la colonne qui les suivait perdait beaucoup d'hommes dans la haute forêt, par le poison des blessures surtout : les miliciens traitaient les malades abandonnés par les grenades, les blessés par les baïonnettes. La migration creusait la forêt comme la lente ruée des animaux vers les points d'eau ; elle la remontait vers l'est sans troubler sa surface froncée, mais, au soir, de longues lignes de feux dans l'air immobile, droites, indiquaient l'arrêt de la marche épique des tribus sur la fuite sans fin des arbres.

Quelques jours après que Claude et Perken avaient quitté le bourg siamois, les feux avaient commencé à apparaître ; plus nombreux chaque nuit à mesure qu'ils approchaient à la fois de la région de Perken et des travaux du chemin de fer, ils barraient l'horizon, maintenant, à chaque nouvelle déchirure de la forêt. Invisible dans la nuit pleine de cigales, la colonne, et derrière la colonne, le gouvernement du Siam... « Les hommes comme moi doivent toujours jouer d'un Etat », avait dit Perken[1]. L'Etat était au fond de cette obscurité, chassant devant lui les tribus animales avant de chasser les autres, allongeant de kilomètre en kilomètre la ligne de son chemin de fer, enterrant d'année en année, toujours un peu plus loin, les cadavres de ses aventuriers. Le jour, quand apparaissaient les fumées aussi nettes que les troncs, la jumelle découvrait entre elles, sur le ciel, des crânes peints en rouge. Ces feux dont le crépitement semblait étouffé par l'immensité, quand atteindraient-ils le chemin qui permettait de passer? La percée de la ligne du chemin de fer, très loin en arrière, lançait son phare vers le ciel dès que les fumées commençaient à se perdre dans les ténèbres, comme si la grande fuite des Moïs, leur moutonnement de bétail en transhumance sous les feuilles eût trouvé son centre dans le triangle lumineux projeté sur le ciel par les blancs. A travers une nouvelle déchirure des arbres, un paysage profond commençait à se creuser, comme vu d'un avion, sans rien qui rattachât au sentier ses lignes plongeantes, ses lointains saturés d'un bleu épais. Le soleil qui se perdait dans ce fond y frissonnerait comme dans l'eau, masse vitreuse sur les crêtes, poussière autour des palmes. Au loin — quelques cloches blanches bouddhiques dans la verdure noire, annonciateur des territoires de Perken, Samrong[2], le premier village laotien allié, le premier dont il connût le chef. Devant lui, les fumées montaient dans l'immensité qu'elles agrandissaient encore, et leur avance se liait si directement à la vie de la forêt qu'elle semblait invincible, venue de la terre et non des hommes, comme un incendie ou une marée.

1. Cette dernière partie s'inscrit dans le contexte plus politique de la lutte entre la France et le Siam, auquel Perken a été lié jusque-là.

2. Près de la frontière siamoise, au pied des Dang Rek, existe un village de ce nom.

« Pourquoi diable marchent-ils sur le village, où les guerriers sont armés ? Il faut qu'ils y soient obligés…

— La famine ? demanda Claude.

— La colonne les a abandonnés maintenant : il est entendu qu'elle ne dépassera pas la rivière. Au-delà, c'est la région de Savan, et au-delà, la mienne. »

La rivière en U brillait là-bas, incandescente, seule blanche dans le gouffre bleu.

« Il faudrait aider Savan à défendre son village…

— Dans ton état ?

— En suivant la crête, nous serons là-bas bien avant eux. Un jour de retard, au plus… »

Il regardait toujours le village et la forêt, mais, bien qu'il rongeât furieusement ses ongles pour ne pas se gratter, son regard se perdait. Claude comprenait trop bien la fraternité qui l'attirait là pour insister. Et l'anxiété le faisait taire : ainsi que s'ils fussent nés des hautes fumées qui avançaient inexorablement à travers l'étendue, comme les génies de la forêt, des coups frappés l'un après l'autre se perdaient dans le grand silence ensommeillé ; trop faibles pour emplir cet enfer de lumière, ils y disparaissaient comme les rares oiseaux qui retombaient dans la masse des arbres dès qu'ils en sortaient, avec une trajectoire de pierres, épouvantés par l'oppression du soleil ; les intervalles réguliers qui séparaient ces coups perdus dans la lumière leur donnaient le caractère d'une annonce solennelle frappée dans une planète lointaine. Claude se souvint du son du pied-de-biche sur la pierre.

« Ecoute…

— Quoi ? »

Il n'écoutait que la descente de sa douleur. Il cessa de respirer. Un… deux… trois… quatre… Les coups se rapprochaient, nets mais sourds, presque spongieux ; la lente marche des fumées en accentuait l'accélération.

« Ce sont des hommes, reprit Claude. Est-ce qu'ils construiraient une espèce de retranchement ?

— Les Moïs ? Ce ne sont pas eux : les fumées avancent toujours, et le bruit est bien plus près de nous. »

Perken essayait d'orienter sa jumelle grâce au son, mais en vain : le brouillard bleu de la chaleur, sans masquer la forêt, en voilait les formes ; les élancements de son genou se déclenchaient en lui comme des coups de cloche, un à un, sans s'accorder aux coups lointains, et aucune forme humaine n'apparaissait sur cette nature haineuse qui semblait susciter elle-même ces fumées et cet inexplicable martèlement. En bas, un point étincelant parut, comme un éclat de soleil sur une vitre.

Il n'y avait pas d'eau par là.

Il regarda de nouveau, arrêta la charrette, regarda encore. Son pied douloureux et mort à la fois cachait la lumière ; il se souleva, ne tentant pas même d'écarter cette chair séparée de lui — comme s'il eût pu souffrir dans la chair d'un autre. Maintenant, il voyait. Claude tendait la main, mais Perken ne lui passait pas les jumelles. Le point étincelant montait et descendait, intermittent comme le crépitement des coups qui semblaient naître de lui. Perken laissa retomber sa main. Claude voulut prendre les jumelles, qu'il ne lâchait pas ; il desserra enfin ses doigts.

« La rivière est pourtant là-bas ? » dit-il.

Claude fixait du regard le point lumineux : marmite, objet de campement ? loin *en avant* de la rivière. Tout près, des lignes minces, croisées, des formes humaines, des surfaces géométriques plus grandes. Celles-là, il les connaissait : des tentes. Les lignes croisées étaient des faisceaux. Lui aussi regarda de nouveau la rivière : elle était loin en arrière, fort loin. Et un nouveau point lumineux s'alluma en avant, suivant les fumées des Moïs.

« La colonne ? » demanda Claude.

Perken se taisait. Enfin :

« Pour ceux-là aussi, je suis déjà mort… »

Il regardait alternativement sa jambe et cette lumière, avec une sorte d'horreur. Le regard abandonna la jambe. Ces maillets de bois qui résonnaient à travers l'étendue en frappant les piquets de ses tentes comme des barriques sonores, dominaient peu à peu, à mesure que le son s'étendait, les fumées, la forêt même, tout ce qui s'écrasait sous le soleil ; la volonté des hommes reprenait ici sa place de commandement, au service de la mort. Malgré la douleur, il se sentait furieusement vivant contre cette affirmation de sa déchéance. De nouveau, combattre. Et pourtant, tout ce qu'il avait fait était devant lui comme son propre cadavre. Avant une semaine la colonne pouvait être chez lui, et sa vie n'aurait été qu'une attente vaine.

Les faisceaux étaient là. La colonne avançait, indifférente au grand coude de la rivière d'où montait une phosphorescence bleuâtre de lumière électrique. Les tentes étaient là. Et pourtant il n'éprouvait pas de certitude, mais une anxiété plus écœurante, semblable à ces demi-pertes de conscience qui précèdent les vomissements. Attentif avant tout, contre sa volonté, à la douleur qui montait et descendait comme un bateau, il retrouvait la colonne et la mort dans son soulagement ; attachées l'une à l'autre, avançant toutes deux vers leur but comme les grandes fumées.

« Il se peut, pensa-t-il, que faire sa mort me semble beaucoup plus important que faire sa vie… »

Il leva les jumelles sur le village qui reparut avec une netteté surprenante, entre les deux masses troubles des souliers.

Dans sa vie qui dévalait maintenant en précipice, ce village s'enfonçait comme une pierre à laquelle il devait s'accrocher — comme celles du temple. Et les jumelles revenaient, d'elles-mêmes, vers la colonne. Mais les deux vagues se suivaient, et il faudrait combattre les Stiengs d'abord.

« Chez Savan aussi, nous serons un bon moment avant eux…

— Tu as une grande confiance en ce type ?

— Non : je ne suis sûr que des chefs du Nord. Nous n'avons pas le choix… »

II

Les coups de feu de plus en plus précipités, mêlés maintenant aux échos, entouraient Samrong et ses cloches bouddhiques de leurs points intermittents, à l'exception d'une tache noire. A l'intérieur de leur courbe presque fermée, les cigales nocturnes, la lueur roussâtre d'un fanal : la paix laotienne, pesante, emprisonnée.

« Toujours rien, Claude, en bas ? »

Perken ne pouvait plus se lever.

Claude reprit les jumelles :

« Impossible de rien voir… »

Il n'avait pas reposé la lorgnette que la lueur courte d'un nouveau coup de feu parut, tout près d'une cime ; un écho répercuta la détonation, un ton plus haut. Un nouveau coup. Leur lueur semblait sale, si près des étoiles.

« Est-ce que les Stiengs auraient encerclé le village ?

— Impossible. »

Perken montra du doigt une colline indistincte :

« Nos guetteurs ne tirent toujours pas par là ; donc ils ne tentent pas de monter.

— Moïs savoir y en avoir mitrailleurs du côté travaux du chemin de fer », dit Xa.

Les feux tremblotaient comme des flammes rougeâtres, au-delà des coups de fusil. Perken ne cessait de les regarder ; où ils luisaient, la colonne n'était pas encore parvenue. Une forme passa dans le champ de la jumelle, très près, cachant celle que Perken examinait.

« Qui va là ? »

Allongé sur un bat-flanc, il dominait le jardin de la hauteur des pilotis. La forme disparut. Il tira dans sa direction, au hasard, guettant un cri. Rien.

« C'est la seconde fois…

— Depuis que tu leur as conseillé d'arrêter la colonne, répondit Claude, les choses se gâtent… Tant qu'il ne s'agissait que de les aider contre les Stiengs…

— Tas d'abrutis ! »

Les guetteurs postés par Perken tiraient beaucoup plus maintenant : c'était le flot des Stiengs qui avaient lutté contre la colonne qui venait battre le village.

« Tu es sûr de ce que tu leur dis ? Je crains que s'ils envoient des parlementaires, le chef de colonne ne s'en fiche, et que s'ils tirent, on ne riposte avec les mitrailleuses…

— Les instructions ne permettent pas à la colonne de lutter contre eux. Ils sont bouddhistes, sédentaires, armés comme mes hommes. On négociera. Mais s'ils laissent entrer les miliciens sans conditions, on "administrera" comme disent les Siamois. Il n'y a que Savan qui comprenne cela… mais son autorité de chef devient aussi tremblotante que ces coups de fusil… Il n'y a pas à discuter : s'ils entrent ici, le chemin sera ouvert jusque chez moi : je ne tiens fortement que les chefs du Nord… »

L'odeur sauvage des feux passa, portée par la nuit.

« Ce n'est pas seulement pour organiser leur défense contre les Stiengs que nous nous sommes arrêtés ! »

Les coups de fusil de plus en plus nombreux nourrissaient par leur rythme de mitrailleuse au ralenti l'obsession de Perken ; ils paraissaient et disparaissaient, accentuant la constance des feux immobiles. De nouveaux feux s'allumèrent : au fur et à mesure que le tir de barrage se précipitait, ils apparaissaient, lointains et fixes, sur plusieurs rangs de profondeur ; mais sous l'éclat rapide de la poudre, leur immobilité était si solennelle qu'elle semblait indifférente au combat, née de la chaleur et de la nuit.

« Crois-tu qu'ils puissent se réunir pour donner l'assaut ? demanda Claude.

— Ils sont maintenant très nombreux : regarde les feux... »

Perken réfléchit.

« Ils prendraient certainement le village. Mais ils sont bien incapables de s'unir. Mes hommes, et les chefs que je voulais réunir, sont des Laotiens bouddhistes comme les gens de cette région-ci, et les maintenir ensemble est déjà presque impossible. Ajoute que les Stiengs attaquent toujours les passages, forcément. On donne mal un assaut devant des cadavres anciens, on le prépare mal dans leur odeur. C'est surtout la famine qui les pousse, en ce moment. Demain, ils auront de nouveau la colonne sur les reins... »

Il réfléchit encore.

« Nous aussi... »

La fusillade reprit, diminua de nouveau, comme une courbe sur les feux. Un homme sortit de l'ombre à l'entrée de la case, ses pieds nus touchant les barreaux de l'échelle comme des mains, sans un bruit. Dans la lumière trouble du photophore, la tache claire s'élevait : tête, buste, jambe. Un messager. Perken se souleva, grimaça de douleur, retomba. La montée de la douleur était en lui si dominatrice que, pour ordonner, il en guettait l'affaiblissement, comme la descente d'un être vivant.

L'homme déjà parlait rapidement, par phrases courtes, avec le ton de ceux qui récitent. Claude devinait qu'il avait appris par cœur ses phrases siamoises, et regardait Perken, comme s'il eût pu comprendre plus aisément le silence d'un Européen. Perken cessa de considérer l'homme, qui parlait toujours ; les paupières abaissées, il eût semblé endormi sans l'imperceptible frémissement de ses joues. Soudain il leva les yeux.

« Qu'y a-t-il ? demanda Claude.

— Il dit que les Stiengs savent que je suis ici et que c'est pour cela qu'ils attaquent et reviennent. D'ailleurs nous sommes des ennemis moins dangereux que la colonne... »

La fusillade venait de s'arrêter ; le messager repartit, accompagné de Xa.

« Le village n'est pas encerclable... Nous avons les fusils... »

On entendit le double écho de deux coups de feu ; le silence retomba.

« ... Il dit aussi que des ingénieurs du chemin de fer sont avec la colonne... »

Claude commençait à comprendre.

« Mais ils travaillent activement là-bas ! ils ont fait sauter au moins dix mines dans la journée...

— Chacune de ces explosions tombe sur moi comme une engueulade... Ils avancent, il n'y a pas de doute... S'ils viennent ici...

— Changer leur tracé maintenant ? »

Perken ne fit aucun geste ; il regardait l'ombre, devant lui, sans bouger.

« Passer chez moi leur ferait faire de sérieuses économies... Je pense qu'ils sont pleins de courage : les Moïs filent comme des bêtes. Ils ne passeront pas là-bas, même en colonne. »

Claude ne répondit pas.

« ... Même en colonne... », répéta Perken.

Il se tut encore.

« Avec trois mitrailleuses, seulement trois mitrailleuses, ils n'auraient jamais pu passer... »

La fusillade reprit, faible, s'arrêta de nouveau.

« Ils vont se tenir tranquilles : voici le jour...

— Savan doit venir au lever du soleil ?

— Je le pense... Tas d'imbéciles ! S'ils laissent venir la colonne... »

III

Savan gravit l'échelle. Plusieurs aubes passeraient-elles encore avant la catastrophe ? Perken regardait ses cheveux gris en brosse, ses yeux inquiets, son nez de Bouddha laotien, qui s'élevaient dans l'encadrement de la porte : depuis que la mort était en lui, les êtres perdaient leur forme. Ce chef qu'il connaissait existait moins à ses yeux, individuellement, que le vieux chef du village Stieng. Pourtant, ces mains déjà prêtes à la discussion... Un homme bon seulement pour parler. D'autres têtes parurent, superposées : des hommes le suivaient. Tous entrèrent. Savan hésitait : il n'aimait pas à s'accroupir devant les blancs, et détestait s'asseoir. Il resta debout, considéra ses pieds avec attention, ne dit rien. Chacun attendait. Ce silence asiatique exaspérait Claude ; Perken en avait l'habitude, mais il le supportait plus douloureusement depuis qu'il était blessé : les attentes lui faisaient éprouver avec violence son immobilité. Il se décida le premier :

« Si la colonne vient ici, vous savez ce qui va se passer. »

Maintenant, on commençait à distinguer la fuite des pentes, jusqu'à l'horizon ; à quelques centaines de mètres, des crânes accrochés à des arbres solitaires sortaient de la nuit. Le vent de l'aube inclinait les cimes, et les grandes vagues de végétation qui se répétaient de colline en colline semblaient continuer son mouvement, portées par la fuite invisible des tribus. Une mine sauta. Ils ne voyaient pas la percée du chemin de fer, de l'autre côté de la case ; mais aussitôt après le grondement qui emplit la vallée, ils entendirent le bruit de chute des pierres et des quartiers de rocs, en pluie.

« Après-demain, la colonne sera là. Je vous répète que si le village résiste, avec les armes à feu que vous possédez, elle remontera vers le nord. Sinon, le chemin de fer passera ici. Voulez-vous vous soumettre aux fonctionnaires siamois ? »

Savan répondit par un geste négatif mais plein de méfiance.

« Il est plus facile de combattre une colonne qui n'a pas reçu l'ordre de vous attaquer que de combattre les troupes régulières venues par la voie ferrée… »

« Mais d'ici-là, dit-il en français à Claude, je serai peut-être mort… »

Saisissant accent : de nouveau, il croyait à sa vie.

Des indigènes entraient un à un, s'accroupissaient dans la case. Ils ne parlaient pas siamois entre eux, et Perken ne comprenait pas leur dialecte, mais leur hostilité était visible. Savan les montra du doigt.

« Ils ont d'abord peur des Stiengs.

— Contre les fusils, les Stiengs n'existent pas ! »

Le doigt du chef, resté en l'air, se tourna vers la forêt. Perken prit ses jumelles, regarda les arbres : au sommet des plus grands, des hampes montaient une à une, surmontées de boules grossières : les Stiengs ne fuyaient plus. A défaut de fétiches peu nombreux, tout un monde de crânes, d'animaux tués à la chasse surgissait de la forêt, inscrivait la menace de la sauvagerie sur le ciel du matin, comme si un foisonnement d'os nés du crâne de gaur fût descendu jusqu'à la rivière, en fuite lui aussi, dans une prolifération d'insectes. Cages thoraciques, crânes, et jusqu'à des peaux de serpents se balançaient là-haut, d'une blancheur de craie, soudaine affirmation de la famine dont les remous torturaient la migration des sauvages. Et sur la droite, tout près de la rivière, obsédant, un des fétiches qui figurent les pleureuses des morts, d'une douleur inconnue aux civilisés, surmonté d'un crâne humain entouré de petites plumes. Perken abaissa ses jumelles : de nouveaux indigènes entraient dans la case. Deux portaient des fusils, qui brillaient vaguement : il se souvint de la case où pendait la veste de Grabot.

« Vous jouez votre vie à tous : si vous envoyez des parlementaires et tirez sur la colonne, elle n'insistera pas ; je connais ses instructions. Et elle peut prendre les Stiengs à revers. Sinon… »

Plusieurs des assistants comprenaient le siamois. Une protestation véhémente, une sorte d'aboiement, coupa sa phrase. Savan hésita, se décida :

« Ils disent que c'est ta faute si les Stiengs nous attaquent.

— Ils vous attaquent parce qu'ils crèvent de faim. »

Tous, maintenant, regardaient Savan, qui hésita de nouveau, se décida enfin :

« Que, sans toi, ils nous laisseraient. »

Perken haussa les épaules.

« Et qu'ils veulent que tu t'en ailles. »

Perken frappa le bat-flanc du poing. Tous les indigènes accroupis se relevèrent avec un bond de grenouilles : les deux Laotiens aux fusils mettaient les blancs en joue.

« Ça y est, pensa Claude. Idiotie ! »

Perken regardait au-delà des têtes menaçantes : Xa, pourtant, n'était pas dans la case.

« S'ils bougent, cria-t-il, le regard porté derrière les assistants, tire ! »

Sans abaisser leur fusil, ils se retournèrent le plus vite possible. Deux coups de feu : Perken venait de tirer à travers sa poche. La secousse fut si douloureuse qu'il crut une seconde avoir tiré dans son genou : mais l'un des Laotiens basculait ; l'autre, debout, son fusil lâché, pétrissait à deux mains son ventre, la bouche ouverte, avec les yeux stupéfaits des mourants. La fuite générale le fit basculer à son tour, les cinq doigts dressés au-dessus des têtes en débandade. Sur le clapotement des pieds nus, le silence retomba.

Savan seul était resté.

« Et maintenant ? » dit-il à Perken.

Il attendait, résigné, la venue des catastrophes qu'amenait toujours avec elle, plus ou moins tôt, la folie des blancs. Le monde de bouddhisme et de nonchalance dans lequel il vivait semblait l'entourer ; au-dessus des deux corps en chien de fusil dont le sang coulait sans le moindre bruit, il restait debout, le regard perdu, immobile comme une apparition devant la place désertée. « Ceux qui criaient le plus tout à l'heure ne peuvent être que ses rivaux, pensa Perken ; il ne doit pas être fâché d'en être débarrassé… » Il les vit soudain, devant lui, avec ce sang qui coulait d'eux, par un trou invisible, comme d'une chose qui n'eût jamais été vivante : bien qu'il sût qu'ils étaient là, il avait l'impression qu'ils s'étaient enfuis avec les autres. Morts. Et lui ? Vivant ? Mourant ? Quels liens pouvaient s'établir entre Savan et lui ? L'intérêt et la contrainte, il le savait. Oui, on pouvait soulever ces hommes, mais il fallait cette révolte ou cette guerre qu'il attendait depuis des années. Savan eût-il accepté de lutter contre la colonne, que la moitié du village se fût sans doute enfuie. Ces alliances dont il avait attendu jadis jusqu'au sens de sa vie lui paraissaient soudain fragiles comme ce Laotien hésitant avec qui il n'avait jamais combattu. Contre l'envahissement des blancs, contre la colonne, contre ces mines qui ébranlaient les vallées, il ne pouvait compter que sur des hommes à qui il était humainement lié, sur des hommes pour qui le loyalisme existait : les siens. Et même ceux-là… sans sa blessure, jamais des Laotiens n'eussent osé le mettre en joue. S'il était diminué à leurs yeux, il ne l'était pas encore aux siens ; ces deux-là venaient de le voir. Il releva la tête vers Savan : leurs regards se rencontrèrent et il vit, comme si le chef eût parlé, qu'il était pour lui un condamné. Pour la seconde fois, il rencontrait sa mort dans le regard d'un homme ; il éprouva furieusement le désir de tirer sur lui, comme si le meurtre seul eût pu lui permettre d'affirmer son existence, de lutter contre sa propre fin. Il allait retrouver ce regard dans les yeux de tous ses hommes[1] ; cette sensation démente d'empoigner la mort, de la combattre comme un animal, qui venait de le frapper lorsqu'il avait pensé tirer sur Savan, s'étendait en lui avec une puissance de crise. Son pire adversaire, la déchéance, il allait le combattre dans l'âme de chacun de ses hommes. Il se souvint d'un de ses oncles, hobereau danois qui après mille folies s'était fait ensevelir sur son cheval mort soutenu par des pieux, en roi hun, attentif durant son agonie à chasser par la volonté de ne pas crier une seule fois, malgré l'appel de tous ses nerfs, l'effroyable épouvante qui secouait ses épaules comme une danse de Saint-Guy[2]…

« Je vais partir. »

1. Selon une vision déjà existentialiste, l'individu se sent déterminé par le regard de l'autre.

2. Le passé des personnages de Malraux s'impose souvent, comme ici, sous forme de la réminiscence d'une anecdote étrange ou cruelle, qui, par association d'idées, éclaire la portée de ce qu'ils sont en train de vivre.

IV

Plus de villages : contre le ciel, les premières des montagnes dont Perken attendait sa délivrance; en bas, la rivière. A la surface de la forêt, le vol lourd des oiseaux et des papillons glissait en reflet; mais devant les Moïs que la colonne rabattait jusqu'à l'horizon, les petits animaux, les singes surtout, fuyaient avec une panique d'incendie. Ils passaient la rivière par centaines, semblables à des tourbillons de feuilles lorsqu'ils arrivaient, à des chats lorsqu'ils s'arrêtaient au bord, la queue en l'air. Un gros s'agitait au milieu de l'eau, sur une pierre sans doute : à la jumelle, Claude le voyait très distinctement, occupé à arracher de son dos, avec un air de chien mouillé, les petits qui s'y cramponnaient. Sur l'autre rive ils disparaissaient en coup de vent dans des claquements de branches, et leur fuite apparue entre les deux rives de la forêt reliait l'eau éblouissante à la grande courbe de l'exode des tribus.

Les feux, allumés maintenant toute la journée, tendaient sur les pentes des écharpes de fumée; même la grande lumière de midi, en ce moment, ne les résorbait pas; elles avançaient peu à peu à mi-chemin des montagnes, vers le sentier que suivaient les blancs, sans le moindre vent : une avance humaine, comme le piétinement assourdi d'une armée. La fumée de chaque nouveau feu, plus menaçante que la précédente par sa position, montait verticalement, épaisse, avant que son panache désagrégé ne rejoignît l'écharpe; et Claude regardait à un kilomètre en avant, angoissé, attendant qu'une nouvelle fumée montât, comme un tour de clef dans une serrure.

« Celle-ci va devenir un feu. Encore une et nous ne passons plus. »

Perken ne rouvrait pas les yeux :

« Il y a des moments où j'ai l'impression que cette histoire n'a aucun intérêt, dit-il comme pour lui-même, entre ses dents.

— D'être coupé ?

— Non : la mort. »

Au-delà des montagnes, le territoire de Perken défendu par elle, écrasé par la solitude de ses crêtes sans feux. De l'autre côté, le chemin de fer. Que Perken mourût, Claude serait rejeté aux bas-reliefs qui l'attendaient ; jamais les Stiengs seuls n'oseraient attaquer la ligne.

Perken plongeait dans l'hébétude[1]. Tout près de ses oreilles, des moustiques croisaient leurs fins bourdonnements ; la douleur des piqûres, transparente, recouvrait comme un filigrane celle de la blessure. Elle montait et descendait elle aussi, envenimant la fièvre, contraignant Perken, pour qu'il parvînt à ne pas se toucher, à une lutte de cauchemar — comme si l'autre douleur eût été à l'affût de lui-même, avec celle-ci pour appeau. Un son de chair le surprit : c'étaient ses doigts fascinés par la brûlure des insectes qui tambourinaient convulsivement sur la charrette, sans qu'il s'en fût aperçu. Tout ce qu'il avait pensé de la vie se décomposait sous la fièvre comme un corps dans la terre ; un cahot plus brutal le ramenait à la surface de la vie. Il y revenait en cette seconde, tiré vers la conscience par la phrase de Claude et le mouvement en avant de la charrette, qu'il ne pouvait séparer ; si faible qu'il ne reconnaissait pas ses sensations, que cet intolérable réveil le rejetait à la fois dans une vie qu'il voulait fuir et en lui-même qu'il voulait retrouver. Appliquer sa pensée à quelque chose !

1. Le dénouement de ce récit d'aventures est entièrement intériorisé : on le vit à travers les impressions et les sensations de l'agonisant Perken ou, par instants, de son compagnon qui l'observe, impuissant.

il essaya de se soulever pour regarder le nouveau feu, mais avant qu'il n'eût bougé, une mine sauta, loin devant lui : la terre retomba avec un grand mouvement mou. Les chiens des Moïs commencèrent à hurler.

« Il n'y a que la colonne qui compte, Claude. Tant que le chemin de fer ne sera pas terminé, on pourra l'atteindre. Toutes les communications sont en profondeur : il faudrait les couper assez loin en arrière, isoler la tête de ligne, saisir les armes... Ça n'est pas impossible... Pourvu que j'arrive ! Saloperie de fièvre... Quand j'en sors, je voudrais au moins... Claude ?

— Je t'écoute, voyons.

— Il faudrait que ma mort au moins les oblige à être libres.

— Qu'est-ce que ça peut te faire ? »

Perken avait fermé les yeux : impossible de se faire comprendre d'un vivant.

« Tu ne souffres de nouveau plus ?

— Sauf aux cahots trop durs. Mais je suis trop faible pour que ce soit naturel... Ça va recommencer... »

Il regarda la cime des montagnes, puis la colline où la mine venait de sauter. Pour fixer ses jumelles, il dut s'appuyer sur le bois de la charrette ; sa tête ballottait de droite et de gauche ; enfin il l'immobilisa.

« Maintenant, je ne pourrais même plus tirer... »

Là-haut, les buffles apportaient les traverses que les Siamois faisaient basculer et repartaient avec une sûreté de machine, tournant autour de la dernière comme Grabot dans sa case. Chaque traverse qui tombait sans le moindre son, comme dans un autre monde, retentissait dans son genou. Ce n'était pas seulement sur ses espoirs, mais sur son vrai cadavre, sur ses yeux pourris, sur ses oreilles mangées par la terre, que passerait cette ligne qui avançait en bélier vers les montagnes de l'horizon. Ces chutes de bois sonore qui ne lui parvenaient pas, il les entendait, de seconde en seconde, dans les battements de son sang; il savait à la fois que, chez lui, il guérirait, et qu'il allait mourir, que sur la grappe d'espoirs qu'il était, le monde se refermerait, bouclé par ce chemin de fer comme par une corde de prisonnier; que rien dans l'univers, jamais, ne compenserait plus ses souffrances passées ni ses souffrances présentes : être un homme, plus absurde encore qu'être un mourant... De plus en plus nombreuses, immenses et verticales dans la fournaise de midi, les fumées des Moïs fermaient l'horizon comme une gigantesque grille : chaleur, fièvre, charrette, brûlures, aboiements, ces traverses jetées là-bas comme des pelletées sur son corps, se confondaient avec cette grille de fumées et la puissance de la forêt, avec la mort même, dans un emprisonnement surhumain, sans espoir. Au-delà du chant des moustiques, les chiens maintenant hurlaient d'un bout à l'autre de la vallée; d'autres, derrière les collines, répondaient; les cris emplissaient la forêt jusqu'à l'horizon, comblant de leur profusion les espaces libres entre les fumées. Prisonnier, encore enfermé dans le monde des hommes comme dans un souterrain avec ces menaces, ces feux, cette absurdité semblables aux animaux des caves. A côté de lui, Claude qui allait vivre, qui croyait à la vie comme d'autres croient que les bourreaux qui vous torturent sont des hommes : haïssable. Seul. Seul avec la fièvre qui le parcourait de la tête au genou, et cette chose fidèle posée sur sa cuisse : sa main.

Il l'avait vue plusieurs fois ainsi, depuis quelques jours : libre, séparée de lui. Là, calme sur sa cuisse, elle le regardait, elle l'accompagnait dans cette région de solitude où il plongeait avec une sensation d'eau chaude sur toute la peau. Il revint à la surface une seconde, se souvint que les mains se crispent quand l'agonie commence. Il en était sûr. Dans cette fuite vers un monde aussi élémentaire que celui de la forêt, une conscience atroce demeurait : cette main était là, blanche, fascinante, avec ses doigts plus hauts que la paume lourde, ses ongles accrochés aux fils de la culotte comme les araignées suspendues à leurs toiles par le bout de leurs pattes sur les feuilles chaudes ; devant lui dans le monde informe où il se débattait, ainsi que les autres dans les profondeurs gluantes. Non pas énorme : simple, naturelle, mais vivante comme un œil. La mort, c'était elle.

Claude le regardait : le hurlement des chiens sauvages s'accordait à ce visage ravagé, pas rasé, aux paupières abaissées, dont le sommeil était si absent qu'il ne pouvait exprimer que l'approche de la mort. Le seul homme qui eût aimé en lui ce qu'il était, ce qu'il voulait être, et non le souvenir d'un enfant… Il n'osait pas le toucher. Mais la tête heurta le bois de la charrette ; Claude la souleva, la cala avec le casque, dégageant le front. Perken ouvrit les yeux : le ciel l'envahit, écrasant et pourtant plein de joie. Quelques branches sans insectes passaient entre le ciel et lui, frémissantes comme l'air, comme la dernière Laotienne qu'il eût possédée. Il ne savait plus rien des hommes, plus rien même de la terre qui dévalait sous lui avec ses arbres et ses bêtes : il ne connaissait plus que cette immensité blanche à force de lumière, cette joie tragique dans laquelle il se perdait, et qu'emplissait peu à peu le sourd battement de son cœur.

Il n'entendait plus que lui, comme si lui seul eût pu s'accorder à la fournaise qui arrachait son âme à la forêt, comme s'il eût seul exprimé la réponse obsédante de sa blessure à ce ciel sacré. « Il me semble que je me jouerai moi-même sur l'heure de ma mort… » La vie était là, dans l'éblouissement où se perdait la terre ; *l'autre*, dans le martèlement lancinant de ses veines. Mais elles ne luttaient pas : ce cœur cesserait de battre, se perdrait lui aussi dans l'appel implacable de la lumière… Il n'avait plus de main, plus de corps sauf sa douleur ; que signifiait le mot : déchéance ? Ses yeux brûlaient sous ses paupières comme des lames.

Un moustique se posa sur l'une d'elles : il ne pouvait plus bouger ; Claude cala sa tête avec la toile de tente, ramena son casque, et l'ombre le rejeta en lui-même.

Il se revit, tombé ivre dans une rivière, chantant à pleine gorge au-dessus du clapotement de l'eau. Maintenant aussi, la mort était autour de lui jusqu'à l'horizon comme l'air tremblant. Rien ne donnerait jamais un sens à sa vie, pas même cette exaltation qui le jetait en proie au soleil. Il y avait des hommes sur la terre, et ils croyaient à leurs passions, à leurs douleurs, à leur existence : insectes sous les feuilles, multitudes sous la voûte de la mort. Il en ressentait une joie profonde qui résonnait dans sa poitrine et dans sa jambe à chacun des battements de son sang aux poignets, aux tempes, au cœur : elle martelait la folie universelle perdue dans le soleil. Et pourtant aucun homme n'était mort, jamais : ils avaient passé comme les nuages qui tout à l'heure se résorbaient dans le ciel, comme la forêt, comme les temples ; lui seul allait mourir, être arraché.

Sa main reprit vie. Elle était immobile, mais il y sentait l'écoulement du sang dont il entendait le son fluide qui se confondait avec celui de la rivière. Ses souvenirs, eux aussi, étaient là à l'affût, retenus par la demi-crispation de ces doigts menaçants. Comme le mouvement des doigts, l'envahissement des souvenirs annonçait la fin. Ils tomberaient sur lui à l'agonie, épais comme ces fumées qui venaient avec le son lointain des tams-tams et les aboiements des chiens. Il serra les dents, ivre de fuir son corps, de ne pas abandonner ce ciel incandescent qui le prenait comme une bête : une douleur épouvantable, une douleur de membre arraché s'abattit sur lui du genou à la tête. Une galerie l'attendait, prête à s'effondrer, profondément enfouie sous la terre... Il se mordit si profondément que le sang commença à couler.

Claude vit le sang sourdre entre les dents ; mais la souffrance protégeait son ami contre la mort : tant qu'il souffrait, il vivait. Soudain, son imagination le jeta à la place de Perken ; jamais il n'avait été si attaché à sa vie qu'il n'aimait pas. Le sang coulait en rigoles sur le menton comme celui de la balle, naguère, sur le gaur, et il n'y avait rien à faire qu'à regarder ces dents rouges qui mordaient, et attendre.

« Si je me souviens, pensait Perken, c'est que je vais mourir... » Toute sa vie était autour de lui, terrible, patiente, comme l'avaient été les Stiengs autour de la case... « Peut-être ne se souvient-on pas... » Il guettait son passé autant que sa main ; pourtant, malgré sa volonté et sa douleur, il se revoyait jetant son colt et marchant contre les Stiengs sous la lumière diagonale du soir. Mais cela ne pouvait annoncer sa mort : il s'agissait d'un autre homme, d'une vie antérieure. Comment vaincrait-il, en arrivant chez lui, ces mines qui martelaient sa fièvre ? La souffrance revenant, il sut qu'il n'arriverait jamais chez lui, comme s'il l'eût appris du goût salé de son sang : il déchirait de douleur la peau de son menton, les dents brossées par la barbe dure. La souffrance l'exaltait encore ; mais qu'elle devînt plus intense, et elle le transformerait en fou, en femme en travail qui hurle pour que s'écoule le temps ; — il naissait encore des hommes par le monde... Ce n'était pas sa jeunesse qui revenait en lui, ainsi qu'il l'attendait, mais des êtres disparus, comme si la mort eût appelé les morts... « Qu'on ne m'enterre pas vivant ! » Mais la main était là avec les souvenirs derrière elle, comme les yeux des sauvages l'autre nuit dans l'obscurité : on ne l'enterrerait pas vivant.

« Le visage a imperceptiblement cessé d'être humain », pensa Claude. Ses épaules se contractèrent ; l'angoisse semblait inaltérable comme le ciel au-dessus de la lamentation funèbre des chiens qui se perdait maintenant dans le silence éblouissant : face à face avec la vanité d'être homme, malade de silence et de l'irréductible accusation du monde qu'est un mourant qu'on aime. Plus puissante que la forêt et quc le ciel, la mort empoignait son visage, le tournait de force vers son éternel combat. « Combien d'êtres, à cette heure, veillent de semblables corps ? » Presque tous ces corps, perdus dans la nuit d'Europe ou le jour d'Asie, écrasés eux aussi par la vanité de leur vie, pleins de haine pour ceux qui au matin se réveilleraient, se consolaient avec des dieux. Ah ! qu'il en existât, pour pouvoir, au prix des peines éternelles, hurler, comme ces chiens, qu'aucune pensée divine, qu'aucune récompense future, que rien ne pouvait justifier la fin d'une existence humaine, pour échapper à la vanité de le hurler au calme absolu du jour, à ces yeux fermés, à ces dents ensanglantées qui continuaient à déchiqueter la peau !... Echapper à cette tête ravagée, à cette défaite monstrueuse ! Les lèvres s'entrouvraient.

« Il n'y a pas... de mort... Il y a seulement... *moi*... »

Un doigt se crispa sur la cuisse.

« ...moi... qui vais mourir... »

Claude se souvint, haineusement, de la phrase de son enfance :« Seigneur, assistez-nous dans notre agonie... » Exprimer par les mains et les yeux, sinon par les paroles, cette fraternité désespérée qui le jetait hors de lui-même ! Il l'étreignit aux épaules.

Perken regardait cc témoin, étranger comme un être d'un autre monde[1].

1. Le premier compte rendu consacré à *La Voie royale* louait déjà l'intensité tragique de cette fin, « vraiment belle, avec sa violence, ses blasphèmes, son hymne au néant » (André Thérive, *Le Temps*, 17 oct. 1930).

COMMENTAIRES

L'originalité de La Voie royale

Si *La Voie royale*, présenté par l'éditeur comme un « roman d'aventures », a connu une réussite aussi rapide et éclatante, c'est parce qu'il offrait au lecteur français un plaisir nouveau dans ce genre qui comptait quelques chefs-d'œuvre dans les littératures étrangères, en particulier de langue anglaise, avec Defoe, Stevenson, Kipling, Conrad... *La Voie royale* rompt en effet avec une tradition qui remonte chez nous à *La Princesse de Clèves*, celle du « vrai roman français », pour parler comme Albert Thibaudet en 1919, à savoir le roman d'analyse ou d'études de mœurs. Il prend surtout ses distances avec le récit à la mode du temps de la jeunesse de Malraux, soumis à l'esthétique symboliste et postsymboliste, dont on sent encore l'influence dans les petits récits poétiques, dits « farfelus », de ses vingt ans, *Lunes en papier, Ecrit pour une idole à trompe.* Auteurs et lecteurs s'étaient complu, pendant plus de trente ans, dans l'introspection, dans les recherches d'un style artiste et précieux, dans un dandysme élitiste auxquels on doit entre autres *Paludes* de Gide, *Le Culte du Moi* de Barrès, *Sixtine* de Gourmont. Puis un ennui certain avait commencé à gagner le public français. *La Voie royale* répond à une attente.

Dès 1913, dans un article de la N.R.F. (« Le Roman d'aventures », mai, juin, juillet), Jacques Rivière appelait de tous ses vœux un roman « tout entier en actes », souhaitait qu'on ouvrît grand les fenêtres sur la vie, sur les réalités du monde. Il concluait : « Le roman nouveau sera donc un roman d'aventures. » L'émotion qu'on peut attendre de lui, c'est de n'en pas connaître l'issue, de nous livrer, « à la misérable et merveilleuse anxiété de vivre ». Il émettait le vœu que des romans français « en se rajeunissant par des emprunts au roman étranger » viennent nous donner le même type d'émotion et de plaisir.

Au moment précis où Malraux rentre d'Asie après son expédition archéologique au Cambodge, un vif éclairage est jeté sur l'un des maîtres du roman d'aventures, Joseph Conrad, par tout le groupe de la N.R.F., autour de Gide (dont le *Voyage au Congo*, publié en 1927, est probablement d'origine « conradienne »). A l'écrivain anglophone qui vient de mourir, la revue consacre un numéro spécial, « Hommage à Joseph Conrad », en décembre 1924, dont Malraux se souvient encore à la fin de sa vie (*Le Miroir des limbes*, p. 483). Dans ce numéro commence la publication de la traduction de *Cœur des ténèbres*, qui enthousiasma André et sa femme Clara[1]. Malraux tentera d'être, comme Conrad, un « grand romancier d'atmosphère », de communiquer à son lecteur ce qu'il admire le plus

1. Clara Malraux confirme leur admiration commune dans ses Mémoires où elle qualifie *La Voie royale* d'« œuvre très conradienne [...] où l'on retrouve, remarque-t-elle, les thèmes de ce *Cœur des ténèbres* que nous aimions, avec [...] sa présence de la forêt, son horreur devant le mystère originel » (*Voici que vient l'été*, p. 171. Voir aussi *Nos vingt ans*, p. 90, rééd. 1986).

chez lui, l'obsession de « l'irrémédiable », et s'inspirera de certaines de ses techniques narratives. L'auteur de *La Voie royale* use des ressorts et des sentiments qui sont propres au roman d'aventures en général : le suspense, l'inquiétude, le rôle du hasard qui rend la mort possible, probable ; mais il transforme ce genre, considéré en France comme faisant partie de la littérature de divertissement pour enfants ou comme une variété du roman-feuilleton populaire, pour lui faire exprimer les mythes et les rêves des hommes du XXe siècle. Il lui donne la coloration tragique dont il fait le propre du roman moderne en général. Le risque de mort y est présent, comme dans tout roman d'aventures, mais ce n'est pas un risque dont il faut triompher : c'est une issue inexorable, proche du *fatum* de la tragédie. Dès les premières pages de *La Voie royale*, la mort est là, dans les traits fatigués de Perken, dans les confidences d'un homme qui sent approcher le terme de sa vie. Le type d'aventuriers que l'auteur met en scène avec Perken, Grabot, est d'une espèce particulière qu'il tente de définir dans *Le Miroir des limbes* (pp. 300-301) par rapport aux héros de Conrad : « Nous n'avons plus, et encore ! que l'aventurier-épave [...] — Il y a un point commun à la plupart des aventuriers-épaves : l'errance. Les aventuriers-rois ont été sédentaires. » Ces aventuriers-rois appartiennent à la génération des Mayrena, à ce « type d'aventurier disparu », que Perken se donne pour modèle. Les aventures de son héros désabusé ont un goût de cendres, comme chez Mac Orlan, Cendrars, Graham Greene. La forme du roman d'évasion exotique y devient le support d'une réflexion grave sur les relations qui unissent l'action, l'érotisme et la mort.

Une subtile alternance entre action et réflexion conserve toutefois au roman un rythme soutenu. Les grandes scènes tendues au dénouement imprévisible sont scandées de dialogues rapides qui vont au vif du sujet, tandis que les acteurs cherchent ensemble à comprendre les événements et réfléchissent sur le sens de leur action. Une tranche de vie, choisie à un moment crucial, est présentée dans son déroulement linéaire. Leur passé est évoqué sous la forme de récits enchâssés dans le dialogue des personnages, ce qui contribue à les dynamiser. Les débats d'idées sont « en situation », étroitement liés aux péripéties de l'action. Enfin, même les descriptions, imprégnées par les sentiments et les angoisses de celui qui observe, contribuent à l'élan narratif.

Dans ce roman en quatre parties, qui semble, de prime abord, une juxtaposition de plusieurs aventures et épreuves, selon la tradition du genre, l'auteur ménage un crescendo des périls ; l'affrontement se fait d'abord avec la nature, puis avec d'autres hommes, enfin contre un mal intérieur, la décomposition par infection du corps. La première partie qui pose, en quelque sorte, les prémices de l'aventure, se déroule essentiellement sur un bateau en haute mer ; toutes les suivantes dans l'immensité sauvage de la forêt. Ces espaces choisis ménagent une structure à la fois ouverte et fermée, le lieu d'une vaste étendue se doublant, dans les deux cas, du sentiment d'enfermement, d'encerclement qu'imposent souvent, de manière concrète, les péripéties mêmes de l'action.

Dès les premiers chapitres, les conversations de deux passagers désœuvrés durant un voyage en mer posent tous les grands thèmes qui vont être ensuite orchestrés dans le cours du roman (l'érotisme, l'insoumission, l'aventure, l'action, la vieillesse et la mort...). Puis la même construction, de type poétique, fondée sur le parallélisme et l'itération agence les trois parties suivantes : dans chacune, les héros surmontent des événements contraires, des situations extraordinairement difficiles, mais à la fin ils échouent. Tous ces personnages semblent tourner en rond dans un cercle infernal, comme Grabot, enchaîné, tournant autour de sa cuve, image emblématique de l'homme.

Malraux achève ce roman d'aventures par le cri de l'impossible espoir, la protestation contre la vanité de la vie à travers la personne de Perken agonisant : « Il n'y a pas… de mort… Il y a seulement… *moi... moi... qui vais mourir...* » « Sur la grappe d'espoirs » qu'il avait été, sur ses souffrances passées, sur ses souffrances présentes, « le monde se referme ».

Mais cette architecture d'ensemble, cette progression des scènes, qui s'impose au lecteur avec un caractère de nécessité inéluctable, sont, en réalité, le fruit d'un considérable travail d'écriture. En témoignent les différents états du texte, élaborés au cours d'une genèse qui s'étend sur plusieurs années, l'auteur menant de front plusieurs activités. Le manuscrit[1], un gros volume de deux cent soixante feuillets sur lesquels sont collés plus de quatre cents fragments de texte, d'une écriture serrée, porte d'innombrables changements qui vont de la correction d'un mot, d'une phrase, au bouleversement de l'intrigue. La plupart tendent à la condensation, à l'ellipse, à la recherche d'une formulation vigoureuse,

1. Il s'agit du manuscrit appartenant à la collection Langlois-Ford, complété par un fragment de sept feuillets séparés, dont Malraux fit don, selon son habitude, à l'un de ses amis, l'écrivain Louis Guilloux, fragment qui est tout ce qu'il reste d'un état intermédiaire entre le manuscrit Langlois et la dactylographie ayant servi de base à la publication de l'édition pré-originale dans *La Revue de Paris*, et de l'originale dans « Les Cahiers verts », chez Grasset (voir la Préface : « L'accueil fait au roman », p. 19.

qui élimine les effets faciles. L'auteur réduit certaines descriptions. Pour la première partie en particulicr, à peine la moitié des pages rédigées (soixante-quinze feuillets) est conservée dans la version publiée. Le récit, plus ample et plus romanesque dans les premiers jets, a été modifié assez profondément au cours des trois étapes successives établies « les unes sur les autres », d'après les propos mêmes de l'auteur. Ces changements portent sur les péripéties, sur les personnages (en particulier Perken et Grabot).

L'écrivain, comme dans son premier roman, *Les Conquérants*, au fur et à mesure que l'univers imaginaire de *La Voie royale* acquiert sa consistance et sa signification propres, prend ses distances par rapport aux données du réel, supprimant des éléments directement empruntés à sa biographie.

Il opère également des coupures assez importantes — en particulier dans les scènes et les discussions de Claude et de Perken qui ont trait à l'érotisme — sans doute par souci de bienséance à l'égard du public de l'époque, prompt à se scandaliser. En revanche, le romancier a fait quelques ajouts sur l'état publié afin de caractériser ses personnages ou de donner des précisions sur les lieux, sur les peuplades indigènes... Enfin, il s'est livré surtout à un habile travail de « montage » — comme il le fera pour *La Condition humaine* et pour *L'Espoir* — montage dont il tire des effets dramatiques. L'exemple le plus frappant en est l'addition tardive du chapitre I de la dernière partie, la quatrième. Cette réorganisation des scènes le conduit à toute une série d'ajouts (rapides rappels de données ou développements ayant une fonction de « raccord » entre les épisodes) auxquels le texte doit, en partie, sa forte cohérence.

Les sources autobiographiques[1]

Le contenu anecdotique du roman s'inspire d'une aventure vécue, vieille de six ans au moment de la publication. Elle avait, à l'époque, défrayé la chronique et suscité un certain émoi dans le milieu littéraire parisien. Au cours de l'été 1923, André Malraux, âgé de vingt-deux ans et marié avec Clara Goldschmidt, jeune juive d'origine allemande, vive et cultivée, apprend l'effondrement des valeurs boursières qui, avec l'apport de quelques travaux d'éditions, constituaient leurs principales ressources. Celles-ci leur avaient permis de mener ensemble deux années de liberté flâneuse et de vagabondage esthétique qui leur convenaient fort. Leur désastre financier change le cours de leur vie ; il donne l'occasion à ce jeune homme passionné d'art, très attiré par les pays lointains, de couper les ponts avec le milieu littéraire et artistique parisien où son intelligence, sa conversation brillante l'ont déjà bien introduit.

L'Asie lui offrait alors des possibilités d'action sans commune mesure avec celles qu'il pouvait trouver en France et même en Europe. Il y vit le moyen d'échapper pour un temps à la civilisation occidentale dont il estimait, comme beaucoup d'individus de sa génération, qu'elle était à bout de souffle. Aussi conçut-il un curieux projet qui flattait sa passion pour l'art et les pays lointains, et dont il fit part à sa femme en ces termes :

« Connaissez-vous le chemin que suivaient, de Flandre jusqu'en Espagne, les pèlerins de Compostelle ? [...] Ce chemin était jalonné de cathédrales qui, pour

1. Pour cet épisode de la vie de l'auteur nous faisons largement appel à l'étude détaillée qu'en a donnée Walter G. Langlois, *A. Malraux, L'Aventure indochinoise*, Mercure de France, 1967, et à sa très riche présentation du roman dans « La Bibliothèque de la Pléiade », *Œuvres complètes*, Gallimard, 1989, pp. 1123-1272.

la plupart, sont parvenues jusqu'à nous relativement intactes. Mais il existait sûrement en plus de ces grands sanctuaires, de petites chapelles dont beaucoup ont disparu... [...] Eh bien, du Siam au Cambodge, le long de la Voie royale qui va des Dangrek à Angkor, il y avait de grands temples, ceux qui ont été repérés et décrits dans *L'Inventaire*, mais il y en avait sûrement d'autres, encore inconnus aujourd'hui [...] nous allons dans quelque petit temple du Cambodge, nous enlevons quelques statues, nous les vendons en Amérique, ce qui nous permettra de vivre ensuite tranquilles pendant deux ou trois ans[1]. »

Malraux passe aussitôt à exécution. Il obtient un ordre de mission du ministère des Colonies qui lui donne la possibilité de faire des recherches au Cambodge, royaume placé sous le protectorat français d'Indochine, et de réquisitionner des chars à buffles pourvus de conducteurs pour le transport en forêt des trésors de pierre qu'il se propose de ramener. Dans ces années 20, l'engouement pour les arts « primitifs », la découverte des arts non européens ont fait monter constamment les prix des pièces archéologiques. Il était temps de se hâter avant que ces trésors ne soient mis sous une protection plus sévère, une nouvelle réglementation étant alors en préparation. Malraux prend contact avec des collectionneurs américains et allemands susceptibles d'être intéressés par un « lot de statues khmères ». Puis les deux jeunes gens s'embarquent à Marseille le 13 octobre 1923. L'esprit « colonial » dont ils découvrent déjà à bord quelques manifestations ne suscite guère leur sympathie. Arrivés en Indochine, ils se rendent à Hanoi, capitale administrative de l'Indochine française et siège de l'Ecole française d'Extrême-Orient, qui a la haute main sur toutes les recherches archéologiques.

1. Clara Malraux, *Nos vingt ans,* op. cit., p. 88.

Le jeune homme y prend contact avec le directeur intérimaire, le sinologue Léonard Aurousseau, et lui remet sa lettre de mission. Le fonctionnaire français lui rappelle l'obligation de laisser toutes ses découvertes *in situ*, mais lui fournit les bons de réquisition dont il a besoin. Malraux et sa femme retrouvent ensuite à Saigon l'ami d'enfance d'André, Louis Chevasson, qui doit participer aussi à l'expédition. Tous trois partent pour Phnom-Penh où ils achèvent leurs préparatifs, puis remontent le Mékong à bord d'une vedette fluviale qui les conduit à Siem-Réap, petite ville cambodgienne à proximité du grand lac Tonlé Sap, près d'Angkor. Là, Malraux a un entretien avec le délégué de la Résidence. Celui-ci lui fournit, comme convenu, un guide, des chars à buffles pourvus de conducteurs, mais lui donne un nouvel avertissement en lui rappelant à son tour que les monuments découverts ou à découvrir dans ces territoires sont déclarés monuments historiques et protégés par la loi. Un décret venait en effet d'être promulgué le 18 octobre 1923, par le roi du Cambodge, en vue d'assurer la protection des ruines disséminées dans la jungle. Le jeune aventurier de vingt-deux ans n'en renonce pas pour autant à son projet risqué, « voire illégal », comme le souligne son biographe Jean Lacouture. A ses yeux, l'entreprise « trouvait sa justification dans les dangers courus aussi bien que dans la valeur esthétique des éventuelles découvertes ».

De là, pressés par le temps et la nécessité de réussir vite, ils partent vers le nord, pour une expédition d'une cinquantaine de kilomètres à la recherche du temple de Banteaï-Srey, assez bien localisé et décrit par les archéologues de l'Ecole française. Ils l'atteignent après deux jours de progression difficile à travers la jungle. Plusieurs journées d'efforts sont nécessaires pour dégager de la végétation quelques pierres sculptées, les découper et les extraire avec des instruments de fortune. Quatre grands blocs ornés de très beaux bas-reliefs sont ainsi arrachés au temple, placés dans des caisses et emportés sur des charrettes jusqu'à Siem-Réap. Après avoir redescendu le Mékong, les trois jeunes gens atteignent Phnom-Penh pendant la nuit du 23 au 24 décembre. Mais sur le quai, les gendarmes les attendent, leur guide, chargé par l'administration de surveiller leurs activités, les a dénoncés aux autorités. C'est la perquisition de leurs bagages, la confiscation de leur précieux butin. Les trois Européens sont mis en état d'arrestation et assignés à résidence. André et Louis Chevasson comparaîtront devant le tribunal correctionnel de Phnom-Penh six mois plus tard. Jugés coupables de vol, en vertu du nouveau décret qui faisait tomber sous le coup de la loi des pratiques jusque-là assez courantes, les deux jeunes gens sont respectivement condamnés à trois ans et dix-huit mois de prison, c'est le non-lieu pour Clara. Ils font appel, tandis que la jeune femme, rentrée en France, obtient le soutien, en faveur de Malraux, des plus grands noms de la littérature française. Gide, Paulhan, Mauriac, Rivière, Jaloux, Jacob, Breton, Aragon, Arland, l'éditeur Gaston Gallimard et quelques autres signent, en septembre, une pétition invitant les juges à la clémence. Les témoignages d'estime se multiplient en faveur du « coupable ». Quand le procès vient devant la cour d'appel de Saigon en octobre, la peine est réduite à un an de prison avec sursis pour André qui se pourvoit en cassation. Il quitte Saigon en novembre 1924. Il y reviendra, dès le mois de février 1925, fonder un journal de rapprochement franco-annamite, *L'Indochine*. Au cours de ces quelques mois de résidence forcée, durant son procès, Malraux a, en effet, pris conscience des réalités du lieu. Il a été d'autant plus attentif aux conditions de vie faites à la population annamite par l'administration coloniale française, qu'il s'estimait lui-même victime de l'hypocrisie et des préjugés de cette dernière. Par ailleurs, fort humilié par la présentation des faits de la presse locale — en particulier *L'Impartial*, quotidien bien mal nommé, à la solde du gouvernement — il a pu être tenté, une fois libre, de présenter une information plus équitable de la vie en Indochine. Les hasards de l'existence ont fait que l'attrait des vieilles pierres, puis le besoin d'autojustification l'ont conduit à l'engagement politique et à la défense des libertés individuelles et de l'égalité. Ce premier contact avec l'Asie a été, comme le confirmera l'auteur dans *Le Miroir des limbes*, « l'une des plus profondes et des plus complexes rencontres de (s)a jeunesse » ; il allait changer sa vie et orienter différemment son œuvre littéraire.

Au cours de son bref retour en France, l'éditeur Bernard Grasset, sur la recommandation de François Mauriac, signe au début de 1925 avec le jeune Malraux un contrat pour la publication de ses trois prochains ouvrages. L'écrivain n'avait encore à son actif que quelques articles, un bref récit d'une fantaisie légère, *Lunes en papier.* Mais le récent scandale de Phnom-Penh dont il avait été le héros bien involontaire garantissait un succès de curiosité qui n'était pas de nature à déplaire à cet éditeur. Un an plus tard, le voyageur rentrait à nouveau en France avec la matière des trois ouvrages promis qui allaient être *La Tentation de l'Occident* (1926), *Les Conquérants* (1928) *et La Voie royale* (1930).

C'est donc cinq ans après son procès en Indochine que notre auteur publia ce dernier ouvrage, directement inspiré par son aventure dans la forêt indochinoise. Il y avait peut-être une certaine provocation à revenir sur cette affaire à un moment où Malraux commençait à s'affirmer comme écrivain, et un besoin de se justifier, comme le montrent les interviews qu'il accorda au moment de la publication du livre, en particulier à

A. Habaru, journaliste littéraire au *Monde*[1], et à André Rousseaux dans *Candide*[2]. L'auteur n'y cache pas ce que ce roman doit à sa propre vie.

Les sources documentaires

Dans *La Voie royale* s'entremêlent, sans qu'il soit toujours possible de faire le partage, données concrètes et réminiscences livresques complètement assimilées. Malraux, en effet, est un lecteur passionné et boulimique qui grappille en de multiples lieux et cite le plus souvent de mémoire. « Dès l'âge le plus tendre, écrit son ami Pascal Pia, Malraux a été un de ces enfants amoureux de cartes et d'estampes [...] » « Avant même qu'il se rendît en Extrême-Orient, Marco Polo, Rubruquis et Pian Carpin nourrissaient ses rêves. » Il a pu feuilleter les revues qui avaient proliféré dans la seconde moitié du XIXe siècle et dont on trouvait des piles chez les bouquinistes, telles que *Le Tour du Monde*, *La Revue géographique.*

Les collections poussiéreuses du Trocadéro et ses moulages des bas-reliefs d'Angkor Vat, le musée Guimet où on le conduisit parfois enfant ont suscité très tôt l'intérêt du jeune homme pour l'art des Khmers, peuple dont l'empire fastueux avait dominé toute une partie de l'Asie entre le IXe et le XIVe siècle de notre ère. Les pages de Loti achevèrent d'enflammer son imagi-

1. « Après *Les Conquérants*, *La Voie royale* ; André Malraux nous parle de son œuvre », *Le Monde*, nº 124, 18 oct. 1930.

2. « A propos de *La Voie royale* : un quart d'heure avec M. André Malraux », *Candide*, nº 348, 13 nov. 1930. Le critique de cet hebdomadaire d'opinion, orienté à droite, fait apparaître l'écrivain sous un jour peu sympathique ; il le dote d'un certain sens de la « communication » publicitaire.

nation : « Bouddhas khmers. Je n'avais pas quinze ans quand je lisais Loti : "J'ai vu l'étoile du soir se lever sur Angkor..." », écrit Malraux dans *La Tête d'obsidienne*[1] citant, de mémoire, un passage du *Pèlerin d'Angkor* (1912)[2]. Avant son expédition en Indochine, cet autodidacte, toujours à la recherche de textes rares, ayant un réel goût de l'érudition, fréquente la Bibliothèque orientale, parcourt *L'Inventaire descriptif des monuments du Cambodge*, établi par les spécialistes de l'Ecole française d'Extrême-Orient, en particulier par E. Lunet de Lajonquière, chargé des sites de la région d'Angkor, et le *Bulletin* de l'Ecole, source de documentation principale de l'explorateur improvisé, avec les *Annales* du musée Guimet et La *Revue indochinoise.* Le héros du roman, lui aussi, consulte inlassablement ces ouvrages : « Rêver ou lire ? Feuilleter pour la centième fois *L'Inventaire »*, se demande Claude. Il y revient plus loin et le cite à l'appui de son projet.

Un article en particulier retint l'attention de l'auteur sur le petit temple nommé par les indigènes Banteaï-Srey. Paru en 1919 dans le *Bulletin* de l'Ecole française d'Extrême-Orient, il concernait « L'art d'Indravarman ». Dans cette courte étude, Henri Parmentier, l'un des meilleurs spécialistes de l'art khmer, chef du service archéologique de l'Ecole française — le jeune homme allait le rencontrer au cours de son voyage en Indochine — mettait l'accent sur l'originalité des monuments élevés sous le règne de ce souverain. Il s'attardait

1. *La Tête d'obsidienne*, Gallimard, 1974, p. 179.

2. Quand il fonde sa maison d'édition *A la sphère* (1926), puis *Aux Aides* (1927-1928), Malraux choisit d'éditer une forte proportion de récits d'aventures et de voyages, dont un autre roman de Pierre Loti, *Les Pagodes d'or* et trois livres de Morand (*Bouddha vivant, Rien que la terre, Siam*), cela dans le temps même où il rédige ses propres romans d'aventures.

assez longuement sur le joli temple en grès, de Banteaï-Srey[1], repéré en 1914 et que lui-même avait étudié sur place en 1916. Il en donnait quelques photographies et le localisait de manière précise, vantait la décoration « très riche et très fournie », l'intérêt des sculptures et déplorait les dégâts énormes faits dans le temple par la végétation exubérante.

Pour la rédaction de la seconde partie du roman qui se passe en pays inconnu de lui, Malraux, comme les recherches les plus récentes de la critique l'ont confirmé, a trouvé des informations écrites dans les mémoires et publications scientifiques de géographes, archéologues et explorateurs qui faisaient autorité, en particulier chez Henri Maître (*Les Régions moï du Sud indochinois : le plateau du Darlac*, Paris, 1909 et *Mission Henri Maître (1909-1911). Indochine sud-centrale : Les Jungles moï*, Paris, 1912). Malraux emprunte à ces deux excellents ouvrages, à la documentation photographique qui les accompagne, ainsi qu'au *Journal* de Prosper Odend'hal, publié dans la *Revue indochinoise* (1894) de nombreux détails précis sur les mœurs et coutumes des Moïs, leurs rites funéraires par incinération[2], les sculptures qui ornent leur village et tel tombeau « surmonté de deux grands fétiches à dents : homme et femme, tenant à pleines mains leur sexe peint en rouge ». La personnalité même, le destin de ces deux savants audacieux, morts assassinés dans

1. Parmentier soutenait qu'il existait une phase très distincte de l'art khmer qui séparait les premiers temples en briques des VIIe et VIIIe siècles de l'art classique d'Angkor Vat, qui ne devait apparaître que cinq cents ans plus tard. Il baptisa cette période du nom du roi Indravarman Ier sous le règne duquel elle devait atteindre son apogée. Banteaï-Srey, véritable « joyau » d'architecture, présentait les caractéristiques de ce style de transition.

2. *Cf.* la scène pp. 93-94.

des circonstances dramatiques évoquées, pour l'un d'eux, dans le roman[1], fournissent aussi des éléments à la personnalité de Perken, à sa relation privilégiée avec la région et ses habitants.

A propos de Mayrena, l'aventurier constamment évoqué par Perken, l'auteur écrit dans les *Antimémoires* : « J'ai jadis entendu les Cochinchinois, à l'heure de l'absinthe, parler de Mayrena » (*Miroir des limbes*, p. 359). Mais il a pu compléter son information par la lecture de divers ouvrages[2]. Ce Marie-David de Mayrena a tellement fasciné le romancier qu'il mettra en chantier un livre entièrement consacré au personnage, à l'automne 1939[3]. Malraux exploitera bien des années plus tard, dans la première édition des *Antimémoires* (pp. 376-472), les éléments de ce livre jamais publié, auquel il travailla durant la guerre de 1939-1945. On y voit le baron de Clappique, personnage de *La Condition humaine*, présenter à Malraux le scénario d'un film intitulé *Le Règne du Malin*, qui retrace la vie et le règne de David de Mayrena.

Quant au subterfuge de la balle creuse, remplie de son propre sang par Perken, l'auteur précise dans ses

1. Sans doute d'après le récit de Louis Finot, « Nécrologie d'Odend'hal », *Bulletin* de l'Ecole française d'Extrême-Orient, VI, 1904, pp. 529-537.

2. Villiers du Terrage (baron Marc de), *Conquistadors et Roitelets : rois sans couronne, du roi des Canaries à l'empereur du Sahara*, Paris, 1906 (histoire d'une vingtaine d'aventuriers-conquérants du temps de l'expansionnisme européen, dont Mayrena); Jean Marquet, *Un aventurier du XIX*e *siècle : Marie I, roi des Sedangs (1888-1890)*, Huê, 1927; Maurice Soulié, *Marie I, roi des Sedangs (1888-1890)*, Paris, Marpon et Compagnie Editeurs, 1927, coll. « Les Aventures extraordinaires »; Henri Maître a raconté aussi l'histoire de Mayrena dans *Les Jungles moï*.

3. *Cf.* Suzanne Chantai, *Le Cœur battant*, Grasset et Fasquelle, 1976.

souvenirs[1] que l'idée lui en est venue à la lecture des Mémoires de Jean-Eugène Robert-Houdin, qui eurent un très grand succès et connurent de nombreuses rééditions et traductions (*Confidences et révélations : comment on devient sorcier*, 1859).

Les personnages

Par une curieuse inversion, les quelques personnages historiques dont les noms apparaissent au détour du récit, empruntés à des documents qui relient le récit à la réalité — princes locaux, Damrong, Pitsanulok, fondateurs d'empire, Brooke, Mayrena, chefs de mission, Odend'hal, Maître — donnent moins le sentiment de réalité que les personnages de fiction ; ce sont les personnes réelles comme les sorciers sedangs, tel le sadète de l'eau, qui semblent sortis de la légende.

Le récit est centré sur un petit nombre de personnages : deux Européens qui occupent la scène sans interruption, devant un décor humain changeant avec leurs déplacements. Les figures de second plan sont souvent anonymes, en majorité des autochtones. La communication entre ceux-ci et les Blancs est difficile, passant souvent par l'intermédiaire d'un traducteur maladroit. Tous les individus sont séparés par les cloisons étanches de leur langue, de leur culture, de leur passé.

L'auteur s'attache aux pas du couple constitué d'un homme d'expérience et de son cadet — Perken dont l'aventure s'achève, Claude Vannec pour qui elle commence. Il les conçoit très proches l'un de l'autre par les valeurs qui orientent leur vie : le courage, l'indé-

1. *Antimémoires*, 1967, p. 450. Robert-Houdin raconte comment il eut recours à ce moyen pendant la conquête de l'Algérie, pour impressionner un marabout peu sympathisant à l'égard des Français.

pendance d'esprit. Entre eux, point de conflit de générations, au contraire. Claude et Perken se lient d'une amitié, et bientôt d'un attachement que les dangers courus ensemble ne cessent de renforcer. Dès leur premier entretien, le jeune homme découvre ce qui les rapproche : leur commune « obsession de la mort » qui représente « l'irrémédiable absolu »; par des moyens différents, ces deux hommes, solitaires et actifs, poursuivent la même quête.

Claude, l'intellectuel amateur d'art khmer, se refuse à partager le sort de ses camarades dont l'ultime finalité est de « gagner en considération »; ce serait pour lui « accepter vivant la vanité de son existence, comme un cancer ». Il veut « posséder plus que lui-même, échapper à la vie de poussière des hommes qu'il voyait chaque jour… ». Volontaire, entreprenant, cultivé — il a étudié le sanscrit —, passionné jusqu'à l'obsession par ses recherches archéologiques, il conçoit une expédition qui satisfait son « exigence de choses éternelles ». La force de ses convictions sur l'art l'emportant sur sa timidité, il livre sa pensée avec une certaine imprudence au directeur de l'Institut français d'Hanoi et se jette, avec provocation, dans une folle équipée. Si cet individu émotif, sensible, est prêt à prendre tous les risques pour posséder les statues au sourire énigmatique ensevelies par la jungle, c'est parce qu'elles représentent à ses yeux un moyen de faire fortune pour vivre en toute indépendance, mais plus encore parce qu'elles sont un défi d'éternité. Ces motivations diverses donnent son ambiguïté au personnage.

Perken, beaucoup plus âgé que Vannec, est, lui, un véritable aventurier, prompt au coup de feu. Ses activités relèvent de la diplomatie internationale, appuyée sur la force des armes. Nous sommes renseignés sur son état civil, sur les origines et la nature assez mystérieuse de ses activités passées, par le commandant de bord ; le prestige de la fonction accrédite les informations que celui-ci donne à Claude. Ce portrait objectif qui souligne les contradictions et la complexité du personnage est confirmé ensuite par la conduite et les propos du héros. Energique, intelligent, courageux, Perken est un homme révolté. Fasciné par la mort, il ressent intensément les limites de la condition humaine et veut faire de sa vie un défi. « Le livre et le personnage sont nés d'une méditation sur ce que l'homme peut contre la mort », écrira l'auteur. D'une amère lucidité, il est persuadé qu'on ne fait jamais rien de sa vie, mais qu'« il y a plusieurs manières de n'en rien faire ». Son insoumission foncière, son désir de « laisser une cicatrice sur la carte » l'ont conduit à mener une vie en marge, dans des pays dangereux, en s'exposant même à la torture. Son efficacité lui a permis de créer un royaume dans l'arrière-pays indochinois, où il se sent maître de son destin : « Puisque je dois jouer contre ma mort, j'aime mieux jouer avec vingt tribus qu'avec un enfant », confie-t-il à son compagnon. Tous ses efforts visent à s'y maintenir pour « exister dans un grand nombre d'hommes », et peut-être pour longtemps. Il recherche manifestement une fin à l'image de sa vie, d'où la facilité avec laquelle il se laisse convaincre de prêter son concours à Claude et se jette en pays insoumis, ayant pourtant déjà tâté de la torture chez les Jaraïs, pour un homme qui lui inspire seulement une certaine sympathie, mêlée d'une « grande méfiance », Grabot.

Ce personnage, dont les Moïs ont crevé les yeux, alors qu'il s'était déjà lui-même rendu borgne à la suite d'une imprudence provocatrice, est l'incarnation même de l'absurde. Il est souvent évoqué dans les conversations des deux compagnons mais il n'apparaît que dans la troisième partie. L'individu, « réellement très brave », capable d'actions folles, est prêt à prendre tous les risques. « Il ne peut vivre que sur quelque chose d'indiscutable, qui lui permette de s'admirer. » C'est pourquoi il a voulu devenir roi d'une tribu indigène pour vivre à l'écart des villes, où il se sent peu à l'aise, et pour avoir la libre disposition des femmes, le pouvoir se définissant pour lui « par la possibilité d'en abuser ». Cette conduite érotique n'est pas étrangère à l'attitude de Perken avec les femmes. « Dans la région où je réside, dit Perken, je suis libre [...] Et il y a les femmes. » Mais Grabot est encore plus solitaire et séparé des autres hommes. Il hait ceux qui ne lui ressemblent pas et les tient pour des « soumis » ; en revanche il est capable de loyalisme envers ses pairs. Il a « le goût d'une sorte de grandeur haineuse, rudimentaire, mais tout de même peu commune ». Il incarne en somme un Perken qui aurait mal tourné, car le courage, seule valeur qui fonde la vie de cet aventurier, lui a fait défaut au moment crucial : aveugle, esclave, il n'a pas eu la force de se tuer. Le spectacle de son destin glace Perken jusqu'à l'épouvante, car il met en question son propre orgueil de solitaire. Grabot est son double négatif. Comme Mayrena, il est un type d'« aventurier-épave ».

Tous ceux qui touchent les héros de près ou de loin, par la nature de leur expérience, comme Mayrena et Grabot, par des liens de parenté comme le grand-père, la grand-mère, le père, la mère de Claude et même l'oncle de Perken, connu à travers le récit de sa fin atroce, ont en commun un exceptionnel courage, une forte volonté, une distance par rapport aux autres qui repose sur le sentiment d'être différents, d'où leur solitude hautaine. Entre ces personnages qui tentent « d'échapper à la vie de poussière des hommes », sans tomber dans le geste théâtral qui ôterait toute authenticité à leur conduite, s'établit une « complicité intense », un « étrange esprit de corps », « la poignante fraternité du courage ». Ces sentiments sont mis en scène entre le grand-père et son petit-fils Claude, le vieillard indomptable et sa belle-fille, Grabot et Perken, ce dernier et Claude. Tous constituent une sorte d'aristocratie qui s'affirme contre la médiocrité du monde.

Celle-ci s'incarne dans les passagers du bateau qui fait route vers l'Asie, fonctionnaires ou commerçants « avides de potins et de manilles », « incapables de prononcer le mot *énergie* avec simplicité », tuant l'ennui par des propos malveillants et des « mystères imbéciles », tel le vieux trafiquant arménien qui, par jalousie, médit de Perken dont il a peur et dont la conduite lui paraît insensée, puisque non motivée par le profit. Font également partie de cette commune humanité les responsables administratifs de la France d'Outremer : le directeur de l'Institut, Albert Ramèges, qui incarne sous une affabilité de fonction le spécialiste amer à qui ses recherches ne procurent plus aucun plaisir ; il tient seulement à préserver des chasses gardées au nom de l'autorité de l'Etat, le Délégué de la Résidence, au maintien et au langage plus frustes, joue, sans plaisir non plus, son rôle d'exécutant, chargé de détourner Vannec de son expédition et d'une collaboration avec Perken. Seuls lui importent l'exploitation et le commerce des bois. Le médecin anglais, opiomane, fait partie de ces figures d'Européens déconsidérés. Motivé par « la haine des vieux intoxiqués pour l'action », il annonce brutalement à Perken le caractère mortel de son mal. Sans rien essayer pour le sauver, il se contente de lui conseiller de fumer l'opium, de se piquer pour ne plus penser, ni souffrir.

Peu de personnages féminins dans ce roman. Prostituées de Djibouti ou de Paris, femmes indigènes que Xa amène à la demande des maîtres blancs, elles restent des inconnues silencieuses et dépendantes. Les femmes blanches qui appartiennent au passé des héros, ont, elles aussi, un destin entièrement soumis à leurs partenaires masculins : la grand-mère de Claude qui meurt après une vie d'absolue solitude au terme d'une union malheureuse, sa mère « abandonnée » et recueillie par son beau-père, la compagne de Perken, Sarah, dont la vie, avec les années, « a pris une forme », celle de son compagnon, qu'elle se prend à haïr. La mère et l'épouse sont habitées par la même obsession que Perken : la hantise de l'âge qui suscite chez elles une véritable angoisse à la vue de leur corps qui se fane.

Du côté des autochtones, on rencontre d'abord les indigènes au service des Blancs : boys, guides, porteurs. Ils ne sont pas individualisés, à l'exception du dénommé Xa, le serviteur fidèle qui sert à mettre en valeur le non-conformisme de Claude, sa tendance à faire confiance et à mettre à l'épreuve les hommes, à ses risques et périls, et Sva, le traître, qui se contente de faire obstruction au projet des deux explorateurs, en poussant les guides à déserter et en réquisitionnant les charrettes de relais.

Les habitants des régions non colonisées ou incomplètement soumises, qui entrent en scène ensuite, ont un rôle plus actif. Une nette distinction s'opère entre eux, conforme à la connaissance du passé de ces populations. D'un côté, connus pour leur douceur, les Cambodgiens, les Laotiens et les Siamois, plus « civilisés », comme le suggère la présence du médecin siamois formé par les Blancs, consulté par Perken. L'un des chefs laotiens, Savan, sort de l'anonymat dans la dernière partie, au cours d'une discussion avec Perken ; son comportement fait ressortir la « nonchalance » de ce chef bouddhiste, à l'autorité quelque peu contestée, qui n'attend rien de bon des Blancs, pourtant ses alliés. Perken tire à bout portant sur deux hommes de sa tribu, sans l'émouvoir, les autres s'enfuient « en débandade ».

Le récit s'attarde davantage sur les peuplades moï, tribus guerrières et « primitives », nomades ou sédentaires, en constantes luttes entre elles ou contre les Blancs. Leurs représentants interviennent dans le récit au titre d'une collectivité ethnique, non en tant qu'individus. Ils sont toujours vus à travers le regard des deux héros étrangers pour qui ils incarnent une mortelle menace, associée dans leur esprit à la forêt, à son climat nocif, à son univers végétal en décomposition, règne de l'animalité. Aussi sont-ils évoqués en des termes appartenant au même registre : ces « tribus animales », êtres « à l'affût », « serrés, grouillants », « troupeau » au « regard de sauvage », ils se coulent « dans le sentier avec leurs gestes précis de guêpes, leurs armes de mantes », « leur moutonnement de bétail en transhumance sous les feuilles »... Le dégoût et l'horreur qu'éprouvent les Européens augmentent à proportion de leurs craintes, que ce soit Perken engagé dans des tractations désespérées avec le chef moï (« Sa vie aboutissait comme à un passage à ces jambes couvertes d'eczéma, à ce pagne ignoble et sanglant, à cette humanité capable seulement de pièges et de ruse, ainsi que les bêtes de la forêt ») ou que ce soit Claude qui observe, avec « un sentiment panique », à travers les feuillages, des indigènes nomades occupés à brûler leurs morts (dont un « guerrier jaune », « appuyé sur la hampe de sa lance miroitante, nu, le sexe dressé »). La vision de ces minorités ethniques ne les assimile pourtant pas à des forces du mal. Ces « sauvages cruels » dans la réalité telle que la perçoivent les Blancs et dans la légende qu'ils se transmettent ont, en fait, une solidarité de groupe, une vie tribale libérale qui s'exprime au moment du troc entre Perken et le vieux chef : les membres du clan ont tous la parole avant que celui-ci ne transmette sa décision. L'impression générale, qui se dégage, en fin de compte, du récit, est celle de peuples assez misérables, dupes des « civilisés » et de leur habileté à se jouer de leurs croyances et de leur naïveté. Ils ont une stratégie de défense plutôt que d'attaque ; d'où ces fléchettes dissimulées sur le territoire des villages pour en protéger l'accès contre la « folie » des Blancs.

C.M.

Le Livre de Poche s'engage pour l'environnement en réduisant l'empreinte carbone de ses livres. Celle de cet exemplaire est de :

350 g éq. CO_2

Rendez-vous sur www.livredepoche-durable.fr

Composition par Asiatype

Achevé d'imprimer en janvier 2014 en Espagne par
BLACKPRINT CPI IBÉRICA
Sant Andreu de la Barca (08740)
Dépôt légal 1ère publication : août 1953
Édition 52: janvier 2014
LIBRAIRIE GÉNÉRALE FRANÇAISE – 31, rue de Fleurus – 75278 Paris Cedex 06

30/0086/6